DÉVELOPPEMENT ET CROISSANCE DU MÉTHODISME UNI EN RD CONGO

ORIGINES, DÉFIS, ET POSSIBILITÉS

M. Fulgence Nyengele

HIGHER EDUCATION & MINISTRY
General Board of Higher Education and Ministry
THE UNITED METHODIST CHURCH

Développement et Croissance du Méthodisme Uni en RD Congo : Origines, Défis, et Possibilités

The General Board of Higher Education and Ministry leads and serves The United Methodist Church in the recruitment, preparation, nurture, education, and support of Christian leaders—lay and clergy—for the work of making disciples of Jesus Christ for the transformation of the world. Its vision is that a new generation of Christian leaders will commit boldly to Jesus Christ and be characterized by intellectual excellence, moral integrity, spiritual courage, and holiness of heart and life. The General Board of Higher Education and Ministry of The United Methodist Church serves as an advocate for the intellectual life of the church. The Board's mission embodies the Wesleyan tradition of commitment to the education of laypersons and ordained persons by providing access to higher education for all persons.

Développement et Croissance du Méthodisme Uni en RD Congo : Origines, Défis, et Possibilités

HIGHER EDUCATION & MINISTRY
General Board of Higher Education and Ministry
THE UNITED METHODIST CHURCH

DÉDICACE

À mes parents :

Dorothée Mbuyu Kyungu (1943-2013)

et

Révérend André Ngoy Nyengele Mbuyu Mianda

Les Méthodistes par excellence !

TABLE DES MATIÈRES

Remerciements i

Préface iii

Introduction ix

CHAPITRE 1   Mission Méthodiste
             dans le Bas-Congo/Ouest Congo 1

CHAPITRE 2   L'oeuvre Méthodiste au
             Sud Congo et en Zambie 15

CHAPITRE 3   L'église Méthodiste dans le
             Nord Katanga et la Tanzanie 33

CHAPITRE 4   L'œuvre Méthodiste au
             Congo Central et au Congo Est 47

CHAPITRE 5   Le Leadership épiscopal 59

CHAPITRE 6   Observations Finales :
             Repenser l'évangile au Congo 73

Bibliographie choisie 83

Notes 89

REMERCIEMENTS

J e suis reconnaissant envers de nombreuses personnes qui m'ont aidé à préparer ce livre et à apprendre davantage sur le développement et la croissance du méthodisme uni en République démocratique du Congo. Je suis tout particulièrement reconnaissant envers ces nombreux chercheurs et amis avec lesquels j'ai discuté au fil des années, directement ou indirectement, des questions et des thèmes liés à l'histoire de l'Église Méthodiste Unie au Congo. Il est impossible de les nommer tous, mais je voudrai citer les personnes suivantes : Professeur Kiluba Nkulu, Rév. Dr Mwepu Kilume Kinek, Assistant Lincoln Nyengele wa Mwehu, Rév. Dr Kasongo-Lenge Kansempe, Rév. Dr Ilunga Kandolo, Rév. Dr Kabwita Kayombo Tshikomo, Rév. Kasweka Tshifunga, Rév. Mumba Masimango, Dr Napoléon Ngoy Seya. J'exprime également ma gratitude à l'endroit de maman Ketty Ilunga Paiska pour avoir toujours demandé sur quoi je travaillais et pour ses mots d'encouragement constants.

Je remercie du fond du cœur le Révérend Kabwita Kayombo Tshikomo et le Révérend Mutwale Ntambo Wa Mushidi d'avoir partagé leurs connaissances et fourni de la documentation sur l'histoire de l'Église méthodiste unie (l'EMU) en Zambie et

i

en Tanzanie, respectivement, comme prolongement du témoignage de l'EMU congolaise. Je voudrais également exprimer ma profonde gratitude à l'un de mes frères, le révérend Maître Martin Nyengele Lubaba, pour avoir pris le temps de faire des recherches, de numériser et de m'envoyer des documents pertinents sur certains aspects de l'histoire de l'Église méthodiste unie au Congo.

Je suis profondément reconnaissant à Hilde, mon épouse, qui a été mon soutien constant et fervent dans ce projet et dans tous mes autres projets et une précieuse partenaire de conversation. Sans ses encouragements, je n'aurai pas pu finir ce livre. Mes enfants Gabbi, Eric, et Pauly ont été très favorables et intéressés tout au long du processus de recherche. Leur amour et leur compréhension m'ont aidé à terminer ce projet. Mon père, le révérend André Ngoy Nyengele, a apporté un soutien enthousiaste et il a été un bon partenaire de conversation tout au long du processus de recherche de ce livre.

Enfin, je remercie tout particulièrement le Dr Amos Nascimento du GBHEM, qui a manifesté son intérêt et son soutien pour ce livre; et le Dr Kathy Armistead, rédactrice en chef au GBHEM, pour avoir vu en ce projet une contribution importante à l'église et pour ses conseils. Ce fut un grand plaisir de travailler avec son équipe.

PRÉFACE

Le méthodisme m'a toujours intrigué. Tout au long de mon parcours, j'ai toujours été fasciné par ce que le méthodisme a représenté et continue de représenter au Congo et ailleurs—un mouvement religieux qui se préoccupe du bien être intégral de l'être humain dans la société et dans le monde. Le méthodisme au Congo a une tradition et un héritage riches, matérialisés par son attachement à promouvoir le bien-être social par l'évangile, source de la vie en abondance et moteur de l'épanouissement humain. C'est donc un mouvement qui se préoccupe du salut intégral des gens. Le développement spirituel est lié au développement moral et éducationnel. Avec son annonce large de l'évangile, la formation et l'éducation ont une place de choix. En effet, c'est grâce au méthodisme que beaucoup des jeunes surtout dans les milieux ruraux au Congo ont eu la possibilité de recevoir une bonne éducation et d'aller jusqu'à l'université. Les multiples engagements sociaux de l'Église méthodiste unie démontrent que c'est dans l'amour que la foi se manifeste. Le méthodisme met l'accent sur l'expérience de l'amour de Dieu et l'appel à grandir dans cet amour, à le pratiquer et à le transmettre.

Pendant mon enfance au sein d'une famille de pasteur, mes parents tenaient un langage qui m'intéressait beaucoup lorsque je les écoutais parler des églises que mon père servait comme pasteur. Ma mère, compagne loyale et fervente collaboratrice de mon père, ne manquait pas de faire des remarques intéressantes quand elle observait certains enjeux dans les congrégations que son époux servait. Quand elle n'était pas satisfaite de l'approche que certains membres de l'église adoptaient vis-à-vis de cette dernière, on pouvait l'entendre dire à mon père, « *aba batu abajuwe kanisa méthodiste* » (Swahili), ou « *bano bantu kebayukile kihwilo methodiste* » (Kiluba).[1] Quand elle était satisfaite avec un groupe, ou des gens qui accomplissaient leurs tâches selon ses attentes, on pouvait l'entendre dire avec beaucoup d'enthousiasme, « *aba batu banajuwa kanisa méthodiste ; aba ni ba méthodistes ba kweli* » (Swahili) ou « *bano bantu bayukile kihwilo methodiste biyampe; bano e ba méthodistes ba bine.* » (Kiluba).[2] Ces expressions suscitaient en moi un vif intérêt. Bien que je n'aie jamais demandé à ma mère ou à mon père ce qu'ils voulaient dire par ces expressions, la façon dont ils parlaient du méthodisme créait en moi l'envie d'en connaître exactement la signification. D'une certaine manière, je pensais savoir ce qu'ils étaient en train de dire. Mais j'avais toujours des questions.

Quand j'ai atteint l'école secondaire, ma curiosité s'était accrue. C'est ainsi que j'ai commencé à lire les livres, brochures et anciennes notes de mon père sur le méthodisme. Durant ces années de secondaire, j'ai eu de bons enseignants du méthodisme pendant cours de religion. A l'Institut Nkenda-Bantu l'un de mes professeurs de religion était le Rév. Kazadi Ka Kabamba, à l'époque Surintendant du District de Kamina, qui parlait beaucoup de John Wesley ; les élèves l'avaient même surnommé « Wesley.» Le Rév. Kanonge Muteba aussi m'a enseigné la religion. Il était également mon pasteur dans la paroisse Katuba où j'étais par ailleurs conducteur de la Chorale Flamme 1. Parce qu'il parlait beaucoup de Kayeka Changand, le jeune évangéliste congolais qui avait aidé John et Helen Springer à prêcher l'évangile et à établir les églises au Sud Congo, nous l'avions surnommé « Kayeka.» Je ne sais pas s'ils savaient que les élèves leur avaient donné des surnoms, mais je me souviens de l'impact que leur enseignement de l'histoire et des principes du méthodisme a eu sur ma vision croissante de l'église et ma curiosité de chercher à comprendre cette église dans laquelle je grandissais. Après avoir terminé l'école secondaire je suis allé à l'Université de Lubumbashi. Fort malheureusement, après presque trois mois d'études en sciences sociales et administratives, mon nom n'était sorti ni sur la troisième ni sur la quatrième liste, une pratique très régulière dans ces années-là. Les universités n'avaient pas la capacité nécessaire pour accueillir tous les candidats. Quand je suis rentré à Kamina, j'appris que l'Église méthodiste unie allait ouvrir un Institut Supérieur Pédagogique (ISP). Immédiatement, j'ai pris la décision d'étudier à Kamina.

C'est là que j'ai rencontré le Dr Omar L. Hartzler et son épouse Eva Coates Hartzler. Ils étaient tous deux mes professeurs à l'ISP-Kamina. Les Hartzlers m'ont bien accueilli et nous nous sommes rapprochés quand ils ont appris que j'étais intéressé à poursuivre des études théologiques après l'ISP. Auprès d'eux, j'ai beaucoup appris sur l'histoire du méthodisme au Congo et en Afrique, comme ils avaient servi de nombreuses années comme missionnaires au Congo et en Angola. Après m'avoir orienté pour faire des études théologiques aux États-Unis, pour ma première célébration de Noël aux Etats-Unis en 1990, Eva Coates Hartzler me donna comme cadeaux son petit livre sur les cinquante premières années des missions méthodistes au Sud Congo. Elle me fit aussi découvrir un chapitre qu'elle avait écrit sur le méthodisme au Congo, retraçant l'œuvre accomplie au Sud Congo et au Congo Central. À ma connaissance, ce chapitre-là, écrit en 1965, est à ce jour encore le seul document qui présente dans un même volume le travail de l'Église Méthodiste au Sud Congo et au Congo Central. L'année suivante Omar L. Hartzler me montra des fardes de lettres écrites par des pasteurs congolais à ses parents, à lui, et à son épouse. La plupart des lettres étaient en Kiluba, et les autres en Swahili. Les parents d'Omar Hartzler étaient parmi les premiers missionnaires à Kabongo et Kanene, etc. Bien que le Kiluba était la deuxième langue pour Omar Hartzler, il commençait déjà à oublier son vocabulaire. Idem avec le Swahili. Il me demanda si je pouvais traduire ces lettres pour lui. Après avoir lu les traductions de ces documents, il trouva que les lettres avaient une véritable valeur historique, et que l'information qu'elles contenaient pouvait présenter un intérêt pour d'autres personnes. C'est sur la base de ces lettres-là, en combinaison avec d'autres documents, qu'il écrivit les deux livres sur la vie pastorale et missionnaire de ses parents.[3] Les Archives Méthodistes de Drew University renferment des exemplaires de ces deux ouvrages.

Pour moi, l'opportunité de lire les lettres écrites par les pasteurs congolais en Kiluba et Swahili relatant les réalités ecclésiales et sociales des années 1930–1960 était particulièrement instructif. J'ai conservé mon intérêt pour le développement et la croissance du méthodisme congolais pendant de longues années. Alors quand on m'a demandé d'écrire un chapitre sur les origines et le développement du au Congo, j'ai accepté le défi parce que c'était pour moi une nouvelle occasion d'étudier davantage cette histoire si riche et si instructive. J'ai alors écrit ce livre comme service à l'Église méthodiste unie au Congo— surtout qu'il n'existe pas de document qui réunisse à lui seul les récits des développements au Congo Central et au Sud Congo, sans oublier l'extension de l'œuvre dans les autres régions du Congo, en Zambie et en Tanzanie, ainsi que la croissance des conférences annuelles et des régions épiscopales aujourd'hui.

L'excellent ouvrage édité par Jeff Hoover, Leonard Kabwita Kayombo et Jean-Marie Nkonge à l'occasion de la célébration du centenaire du méthodisme au Sud Congo s'est focalisé précisément sur cette région. Il est certainement un modèle pour la documentation du travail de l'église dans d'autres conférences annuelles au Congo. À travers cette contribution modeste, je nourris l'espoir que ce livre soit aussi pour les historiens méthodistes congolais une invitation à écrire et présenter à la communauté académique et à l'Église un ouvrage riche en ressources et issu de recherches approfondies pour guider et éclairer les futures études sur le méthodisme congolais.

INTRODUCTION

Nous pouvons le dire avec force : Si nous voulons être une Église congolaise adulte et mature, nous devons cesser de dépendre totalement des autres. Une Église de cette dimension est censée avoir ses propres moyens financiers de manière (indépendante) de toute source extérieure... La ressource la plus importante pour la prise en charge de notre Église, ce sont ses membres.[4]

—Evêque Katembo Kainda, Retraité,
Conférence du Sud-Congo

L e méthodisme uni en RDC a des origines multiples. Il naît notamment des travaux de William Taylor dans le Bas-Congo; du travail de pionnier de John M. Springer dans le sud du Congo; et de l'initiative de Walter Russel Lambuth au Congo central. Taylor et Springer étaient missionnaires de l'Église méthodiste épiscopale (EME). Lambuth était un évêque de l'Église méthodiste épiscopale Sud (EMES). Bien qu'ils ne soient généralement pas reconnus comme missionnaires, les esclaves congolais libérés d'Angola ont aussi joué un rôle déterminant dans l'évangélisation et l'implantation des églises au Congo. Nous voulons citer ici des figures comme

Kayeka Changand et Banza Kalwashi dans le sud du Congo et le nord du Katanga, respectivement, et Charles Kimbulu dans la région du Congo central.[5] En rentrant chez eux, les esclaves congolais libérés ont établi des relations avec les missionnaires dans leur empressement à aider à l'évangélisation et à la création d'églises.[6] Les anciens esclaves ont apporté avec eux des compétences en maçonnerie, en menuiserie, en agriculture et évangélisation qui ont été très utiles pour l›avancement du travail de mission.[7]

Toutefois, ils devaient travailler sous la direction des missionnaires de l'EME et de l'EMES, deux dénominations méthodistes américaines nées de la division sur la question de l'esclavage en 1844; mais qui ont rejoint l'Église méthodiste protestante en 1939 pour former l'Église méthodiste, puis ont fusionné avec les Frères évangéliques unis pour former l'Église méthodiste unie (EMU) en 1968. Le méthodisme congolais entretient des relations étroites avec le méthodisme américain et, même si l'église a connu une croissance significative et a développé un leadership autochtone très fort et qu'elle est maintenant organisée en conférence centrale séparée, avec quatorze conférences annuelles, elle fait partie intégrante de l'EMU, qui, selon certains, est encore largement une église américaine avec des branches en Afrique, en Asie et en Europe.[8]

INTRODUCTION

Ce livre retrace le développement du méthodisme du Bas-Congo au Sud Congo et en Zambie, dans le Nord Katanga et en Tanzanie, au Congo central et dans l'Est Congo. L'ouvrage se penche également sur le leadership épiscopal et fournit des observations finales dans le dernier chapitre.

CHAPITRE 1

MISSION MÉTHODISTE DANS LE BAS-CONGO/OUEST CONGO

Observations Préliminaires

L e méthodisme uni congolais est historiquement lié au développement du méthodisme uni africain au Libéria, en Angola, au Sud-Est de l'Afrique (actuel Mozambique) et en Rhodésie du Sud (actuel Zimbabwe). En ce qui concerne le Libéria, le méthodisme uni africain est étroitement lié aux efforts missionnaires des esclaves noirs américains libérés qui étaient rattachés à l'Église Méthodiste Épiscopale Africaine (EMEA),[9] et aux initiatives de l'Église Méthodiste Épiscopale, par l'entremise de la Société Missionnaire créée en 1819.

1

En 1822, un groupe d'anciens esclaves qui partaient pour le Libéria a organisé une Société Méthodiste sous la direction de Daniel Coker, un pasteur ordonné affilié à l'Église Méthodiste Épiscopale Africaine. Il s'était enfui de l'esclavage et se trouvait alors en route vers le Libéria en service missionnaire.[10] Il a posé une fondation solide pour l'œuvre méthodiste au Libéria qui a par la suite servi de tremplin pour le développement du méthodisme épiscopal américain ailleurs en Afrique. En fait, le Libéria était la première mission étrangère de l'Église Méthodiste Épiscopale en Afrique. Avec la création de la Société Missionnaire (Missions Society) dans l'Église Méthodiste Épiscopale en 1819,[11] Melville Beveridge Cox (1799-1833) fut envoyé au Libéria comme premier missionnaire américain en Afrique en 1833 avec la responsabilité de diriger la Mission Méthodiste au Libéria.[12] Cependant, Cox entreprit non seulement la première mission étrangère américaine au Libéria, mais il fut aussi le premier missionnaire à être envoyé par la Société Missionnaire de l'Église Méthodiste Épiscopale. Malheureusement il est mort de paludisme après seulement quelques mois de travail. La contribution de Cox était d'avoir travaillé grandement pour organiser l'Église Méthodiste Épiscopale au Libéria et d'avoir aidé à stabiliser le travail déjà accompli par Coker et ses collaborateurs; il avait en outre aidé à intégrer les méthodistes du Libéria dans l'Église Méthodiste Épiscopale.

Le Libéria était alors devenu un centre important du métho-disme épiscopal américain car les cercles missionnaires américains envisageaient désormais de l'utiliser comme une base à partir de laquelle répandre le méthodisme dans d'autres parties de l'Afrique pour atteindre d'autres peuples africains avec l'évangile.[13] Le Libéria était ainsi considéré comme une porte d'entrée vers l'intérieur de l'Afrique. C'est ainsi qu'en 1858, Francis Burns fut élu évêque pour le Libéria par la Conférence Générale. Il était non seulement le pre-mier noir américain mais aussi la toute première personne à être élue évêque de l'Église Méthodiste Épiscopale pour l'Afrique.. Burns a servi comme missionnaire au Libéria pen-dant 24 ans. Avec la croissance continue du méthodisme en Afrique, plusieurs évêques missionnaires ont été désignés dans les années qui ont suivi pour superviser le développe-ment du travail de mission dans d'autres parties de l'Afrique. C'est dans cette logique que William Taylor (1821–1902) fut élu évêque pour l'Afrique en 1884, avec pour mission de superviser et consolider le travail au Libéria et aussi pénétrer à l'intérieur du continent africain avec l'évangile. Motivé par son expérience en Afrique du Sud, c'est également par les appels de l'explorateur missionnaire David Livingston que Taylor enverra des missionnaires en Afrique Centrale.[14]

L'Héritage de William Taylor

L'évêque Taylor est une figure importante dans le développement des activités missionnaires de l'Église Méthodiste Épiscopale en Angola, au Mozambique et au Congo—et peut être aussi d'une manière indirecte au Zimbabwe.[15] En effet, Taylor est une figure récurrente dans les récits relatant les activités missionnaires sous l'égide de l'Église Méthodiste Épiscopale au 19e siècle.[16] Sa théorie et pratique de mission appelée « missions pauliniennes » avait inspiré beaucoup de missionnaires et dénominations dans la tradition méthodiste wesleyenne. Sa théorie missionnaire envisageait l'implantation de missions indépendantes, entreprenantes et autonomes. Il voulait des missions autofinancées et autogérées qui fonctionneraient en dehors du contrôle des églises « mères » ou églises d'origine. Après avoir passé du temps comme missionnaire en Californie auprès des miniers, il voyagea en Australie, en Inde, en Amérique du Sud et en Afrique pour prêcher l'évangile. Son expérience en Afrique du Sud l'a marqué d'une manière particulière, et c'est sur cette base qu'il présenta à l'Église Méthodiste Épiscopale le besoin d'une mission africaine et milita pour l'avancement de l'œuvre dans d'autres parties du continent. D'après certains observateurs, Taylor avait expérimenté l'Afrique et la culture africaine d'une façon très différente par rapport aux autres américains (et européens) de son époque. Les conclusions qu'il développa sur la base de cette expérience transformèrent sa pensée sur la mission et le rôle des missionnaires.[17] Taylor arriva en Afrique du Sud au début de 1866 où il travailla six mois avec Charles Pamla, un théologien doué qui lui servait d'interprète. Son ministère en Afrique du Sud suivait le modèle suivant: avec Charles Pamla, « il arrive dans un village, demande au chef [du village] la permission de prêcher, il prêche, il organise une congrégation, il enseigne à la congrégation l'essentiel de la foi chrétienne, il établit un converti comme pasteur, il laisse une Bible, et ensuite prend la route pour un autre village.»[18] Dans tout cela, il ne faisait aucun effort pour reformuler la culture africaine, parce qu'il considérait qu'elle était égale à sa propre culture occidentale. Taylor croyait que les africains, quand ils s'approprient la foi chrétienne, étaient capables d'exprimer cette foi à leur propre manière et selon leurs propres usages.[19] Taylor s'opposait aux théories de l'évolution qui considéraient la culture européenne comme l'apogée du développement, et il maintenait que l'information et l'intelligence n'étaient pas la même chose ; pour lui « les enfants des africains n'étaient pas plus païens que les enfants des Nord-Américains. »[20] Quand il quitta l'Afrique du Sud après six mois de travail d'évangélisation, il commissionna Charles Pamla comme son successeur et responsable des nouvelles communautés chrétiennes qu'il avait contribué à établir.

Près de soixante-cinq ans après le travail de Taylor en Afrique du Sud et trente-quatre ans après sa retraite du poste d'évêque pour l'Afrique, un autre missionnaire américain du nom de Newell S. Booth arriva sur la scène missionnaire africaine en 1930 pour servir au Sud Congo. Après quinze ans de travail, Newell S. Booth écrit en 1945, dans l'esprit de Taylor, qu'il trouvait que la culture africaine avait des valeurs et atouts aptes pour l'interprétation de l'évangile. Malgré ses limites culturelles, Booth observa qu'au terme de ses analyses il avait la conviction qu'il y avait dans la culture africaine des valeurs permettant « l'interprétation la plus complète de la volonté de Dieu » et qu'il y avait dans cette culture et tradition «des nouvelles aides pour comprendre le sens de l'évangile du Christ.»[21] Booth ajoute même que Dieu ne s'était pas laissé sans témoin parmi les hommes et femmes autochtones de l'Afrique.[22] Faisant écho à Taylor, il a aussi affirmé que tous les peuples peuvent écouter avec profit le témoignage de l'évangile dans le cadre de leur propre culture. Cependant, rien n'indique dans son livre que Booth avait lu les écrits de Taylor, mais étant donné le rôle prépondérant de ce dernier dans le développement du méthodisme au centre et sud-est de l'Afrique et son importance dans le monde missionnaire méthodiste global de son temps, il est fort probable que Booth connaissait bien la théorie de mission de Taylor et son point de vue sur les cultures africaines en relation avec l'évangile.

Il est peut-être utile de noter ici que William Taylor, pour les raisons évoquées ci-dessus, est considéré non seulement comme l'un des plus grands penseurs missionnaires produits par le méthodisme américain, mais qu'il est aussi apprécié pour son opinion positive sur les africains et sur la culture africaine. Cette qualité le distinguait de bon nombre de missionnaires de son époque qui rejetaient la culture africaine comme « païenne », arriérée, déficitaire, et dépourvue de toute vertu ou de toute bonne chose. Bon nombre de missionnaires et occidentaux de son temps considéraient la culture africaine comme de la barbarie et une expression de croyances et pratiques « non-civilisées » qu'il fallait détruire et éradiquer complètement. Le point de vue de Taylor sur la culture africaine lance certainement un défi non seulement aux occidentaux, mais aussi et surtout à certains africains qui ont intériorisé les préjugés occidentaux contre les cultures et traditions africaines et les rejettent comme incompatibles avec les valeurs et l'enseignement chrétiens.[23] L'idée selon laquelle être chrétien exige le rejet total de la culture africaine, ou de toute autre culture non occidentale, semble promouvoir une mauvaise théologie de la culture. Si nous sommes tous créés à l'image de Dieu—africains, asiatiques, européens, et d'autres groupes autochtones—alors nous sommes dotés de la créativité divine ; et c'est cette créativité de Dieu en nous qui nous incite à créer les pratiques culturelles qui aident à donner un sens à notre vie, à organiser nos interactions sociales, à guider notre comportement, à nous divertir, à produire de la musique, à créer des œuvres artistiques, de la technologie, etc.; bref, à créer la culture. Dans ce sens, la culture est donc un don de Dieu. Nous créons les cultures en utilisant le don divin de créativité. Les cultures doivent donc être considérées comme « de riches sources de symboles pour une expression exubérante de l'image de Dieu ».[24] Il faut donc célébrer la diversité des cultures, sachant que le Dieu qui nous dote de son pouvoir de créativité se réjouis de la diversité culturelle parce qu'elle manifeste la créativité même de Dieu. Comme Miriam Adeney le souligne, « une théologie chrétienne de la culture soutient que, bien que d'autres peuples semblent être étranges, ils ne sont pas des monstres, ou sauvages, ou barbares, ni des êtres primitifs. Ils ne sont pas fondamentalement... des esclaves potentiels. Ils sont des êtres humains créés à l'image de Dieu. Cela signifie en partie qu'ils sont doués d'un peu de créativité de Dieu. »[25] Nous avons donc besoin d'une missiologie adéquate qui puisse nous aider à apprécier d'une manière critique la diversité culturelle comme une manifestation de la créativité de Dieu et aussi comme

source de sagesse et d'affirmation de notre pleine humanité.
En effet, nous pouvons arriver à une appréciation profonde
de notre humanité et de l'humanité des autres quand nous
embrassons la diversité culturelle en l'appréhendant comme
le reflet des différences qui sont visibles dans la création
même de Dieu. Dieu a non seulement créé toutes choses
dans la diversité, mais il soutient également cette diversité
et s'en réjouit. Et il nous appelle à faire de même. Il est donc
important de développer une missiologie qui à la fois valorise
et cherche à améliorer les cultures sans pour autant les déni-
grer ou les diffamer. Dans ce sens, la tâche missiologique
en Afrique est essentiellement une tâche pastorale qui doit
lutter contre les préjugés à l'encontre des cultures africaines
et déloger les idées négatives, longtemps intériorisées, qui
nourrissent une faible estime de soi ou mésestime de soi collective et nuisent à notre bien-être et à notre identité africaine
collective.

Mission Méthodiste dans le Bas-Congo/Ouest Congo

Il est difficile de surestimer l'importance de la vision et du rôle
de Taylor dans le développement du méthodisme en Afrique,
et spécifiquement au Congo. Avec sa vision d'établir des missions autofinancées, autonomes et indépendantes, Taylor a
initié les modèles d'expansion du méthodisme entre 1884 et

1896, en commençant des œuvres en Angola, au Congo et au Mozambique (où il a repris les travaux de l'Église congrégation-nelle pour l'EME en 1888). Son rêve était de voir ses missions non seulement se gouverner, mais aussi se reproduire et se propager sans dépendre des associations missionnaires ou des églises « mères » ou églises d'origines. Il envisagea qu'une chaîne de missions allant de l'Angola à l'Afrique de l'Est en passant par le Congo, pourrait permettre d'accomplir sa vision de pénétrer le continent africain avec le message de l'évangile.

La présence méthodiste dans le Bas-Congo est le résultat de la vision et de l'œuvre missionnaire de William Taylor, un évangéliste énergique qui a voyagé dans le monde entier entre 1857 et 1884 pour prêcher l'évangile. Comme nous l'avons indiqué ci-haut, son travail en Afrique du Sud en 1866 avait suscité en lui un grand intérêt pour l'Afrique et l'avait amené à plaider auprès de l'EME en faveur de la création de postes missionnaires en Afrique pour répondre aux besoins du continent. En 1884, la conférence générale l'a élu évêque missionnaire chargé de superviser l'œuvre missionnaire au Libéria et d'établir des missions dans diverses régions d'Afrique.[26] Il a servi en cette qualité jusqu'à sa retraite en 1896, à l'âge de 75 ans. Sans qu'il ne néglige pour autant ses fonctions au Libéria, il n'a pas fallu longtemps à Taylor pour commencer à ouvrir des missions au Congo, en Angola et au Mozambique. Son objectif était d'implanter une

MISSION MÉTHODISTE

chaîne de stations missionnaires autonomes à travers l'Afrique sur la base du modèle qu'il avait utilisé avec succès en Inde et en Amérique du Sud. On demandait aux églises d'envoi de couvrir les frais de transport de la famille missionnaire et de l'équipement nécessaire pour leur permettre de gagner leur vie ; et on s'attendait à ce que les missionnaires aient un autre type d'occupation, comme l'enseignement et/ou le commerce, afin de subvenir à leurs besoins financiers et, en même temps, évangéliser dans le cadre de leur travail ou pendant leur temps libre.[27]

En 1885, l'évêque Taylor arrive à Luanda, en Angola, avec 30 missionnaires et 16 enfants et choisit cinq sites pour le travail de mission.[28] En 1886, un autre groupe de missionnaires est arrivé sur le fleuve Congo et a sélectionné plusieurs sites de part et d'autre du fleuve près de Matadi. Ils ont fondé huit stations,[29] dont la plus ancienne et la plus connue est Vivi, qui était alors la capitale de l'État indépendant du Congo. D'autres postes ont été créés à Isangila près de Matadi et à Kimpoko près de Léopoldville,[30] qui devint plus tard la capitale du Congo belge. Un médecin du groupe angolais, le Dr William Summers, était tellement attaché à la vision de l'évêque Taylor qu'il était gêné par la lenteur de leur progression et décida de quitter la dernière station en Angola pour aller au cœur du territoire congolais. Il est arrivé à Luluabourg (maintenant Kananga) la même année où les autres missionnaires sont arrivés près de Matadi. Il a commencé à pratiquer la médecine, mais il est malheureusement mort au bout de quelques mois du fait qu'il administrait des soins aux autres alors qu'il souffrait lui-même d'un paludisme non traité.[31]

Le travail missionnaire dans le Bas-Congo a connu des difficultés énormes. La mort prématurée des missionnaires était un phénomène trop récurrent dans cette région du Congo, tout comme dans d'autres régions d'Afrique occidentale. L'expression selon laquelle le champ missionnaire était devenu « la tombe de l'homme blanc » était certainement une réalité dans le Bas-Congo.[32] Les décès précoces, ainsi que les départs à la retraite en avance pour des raisons de santé, ont rendu difficile la mise en œuvre de stratégies missionnaires cohérentes. Écrivant sur la durée typique des premiers missionnaires en Afrique de l'Ouest, Cracknell et White disent que « l'espérance de vie moyenne en Afrique de l'Ouest était d'environ deux ans.»[33] Mais dans le Bas-Congo certains missionnaires étaient morts en seulement quelques mois après leur arrivée.

Le climat du Bas-Congo n'était pas accueillant pour de nombreux missionnaires, et plusieurs ont succombé aux rigueurs du climat et de la maladie.[34] Beaucoup d'entre eux ne savaient rien des maladies tropicales comme le paludisme et son traitement. Dans le rapport missionnaire de 1897, on trouve le commentaire suivant sur la situation des missionnaires dans la Bas-Congo :

« Les travaux [dans le Bas-Congo] ont été entrepris par l'évêque Taylor en 1886 et 58 missionnaires ont été envoyés dans cette région, dont 3 enfants. De ce nombre, 31 sont retournés chez eux et 5 sont maintenant sur le champ. Cela indique un taux de mortalité beaucoup plus élevé au Congo qu'en Angola.»[35] En 1898, un peu plus de dix ans après l'arrivée des missionnaires près de Matadi, « le personnel missionnaire de la région de Matadi avait été décimé à tel point que l'évêque nouvellement élu Joseph Hartzel ferma les portes de l'œuvre congolaise.»[36] Une missionnaire a été transférée à Luanda, en Angola, et elle a emmené avec elle quatre jeunes congolais avec qui elle collaborait, dont John et Miriam Webba, qui se sont mariés plus tard et ont contribué grandement à l'œuvre missionnaire en Angola.[37] Ce qui est intéressant, c'est que John Webba, aussi connu sous le nom de Joao L. Webba en Angola, est reconnu aujourd'hui comme l'un des évangélistes autochtones du pays.

Néanmoins, même si les travaux de mission s'étaient arrêtés dans le Bas-Congo, Taylor avait établi les modèles d'expansion méthodiste en Angola, au Congo, dans l'actuel Mozambique et au-delà. Par exemple, la station de mission établie par le Dr Summers à Luluabourg, qui a été appelée « district de Lunda » en raison de l'intention d'atteindre les Lunda, est restée dans les archives des missions avec la note « responsable à nommer ». C'est cette initiative du district de Lunda qui a plus tard motivé

John Springer à (r)établir des œuvres méthodistes dans le Sud du Congo.[38]

Après la fermeture des stations méthodistes dans le Bas-Congo, il faudra attendre plus de soixante ans avant que les travaux de l'Église méthodiste unie ne reprennent et/ou ne s'étendent dans l'ouest du Congo. Cette situation a été rendue possible par les méthodistes angolais qui avaient fui la répression portugaise après les émeutes de 1961 au nord de l'Angola.[39] Quelques années plus tard, la conférence du Congo central va initier la création de congrégations et de programmes de service social à Kinshasa et dans les régions avoisinantes, y compris l'expansion dans l'ancienne province de l'Equateur, au Congo Brazzaville et au Gabon. Toutefois, il faudra noter que, malgré leur absence dans le Bas-Congo pendant plus de soixante ans, quand les méthodistes ont repris leur travail au Congo ils ont collaboré dès le début, dans le cadre de l'œcuménisme, avec d'autres groupes protestants qui s'étaient installés dans la région.[40]

CHAPITRE 2

L'OEUVRE MÉTHODISTE AU SUD CONGO ET EN ZAMBIE

Développement du méthodisme au Sud Congo

La présence du méthodisme dans le sud du Congo est le résultat de la vision et du travail de John Springer (1873–1963), Helen Emily Springer (1868–1949) et d'un groupe d'esclaves congolais libérés d'Angola. John Springer a été désigné missionnaire pour la Rhodésie du Sud en 1901. Avant d'être recrutée comme missionnaire pour la Rhodésie du Sud en 1901, Helen se rendit à Matadi en 1891 en tant que missionnaire autonome de William Taylor. Elle épousa William Rusmussen, un autre missionnaire de Matadi venant du Danemark, qu'elle avait rencontré dans le bateau lors du voyage vers le Congo. Helen et William se marièrent au Congo à leur arrivée. William

Rusmussen décéda en 1895, après avoir échappé à la mort quelques fois avant. Helen est elle-même devenue très malade et une tombe a même été creusée en prévision de ce qui semblait être sa mort certaine.[41] Quand elle s'est rétablie, elle est retournée aux États-Unis avec son fils en 1896, après avoir séjourné avec sa belle-mère pendant environ un an au Danemark. Son fils est décédé en 1900 et peu après, elle a été recrutée de nouveau par la Société des Missions Étrangères des Femmes et envoyée en Rhodésie du Sud.[42] Helen et John Springer se sont mariés en 1905. Les Springers pensaient avoir reçu de Dieu la vision de commencer une œuvre missionnaire dans la région des Arund ou de Lunda dans le sud du Congo. Ainsi, à l'occasion de leur voyage de vacances vers les États-Unis, ils se sont dirigés vers l'Angola en novembre 1906 en passant par le sud du Congo pour explorer la faisabilité d'implanter des postes missionnaires au Congo. Ils ont visité les villes minières de Kambove, Ruwe (Kolwezi) et Musonoi où ils ont réalisé que les régions minières offriraient de grandes opportunités pour l›évangélisation d›un grand nombre de personnes.[43]

John et Helen Springer sont retournés au Congo en 1910, après avoir passé deux ans en Amérique, avec l'intention de commencer des missions dans le sud du Congo. Herman Heinkel, qui avait travaillé avec eux en Rhodésie du Sud, les a rejoints à Broken Hill, Rhodésie du Nord, où ils ont choisi douze jeunes chrétiens pour aller avec eux. Ils sont arrivés à Kalulua, dans le sud du Congo, et ont trouvé un camp de travail belge abandonné où ils se sont installés pendant la saison des pluies.[44] Ils ont repris contact avec les autorités coloniales belges pour renouveler leur demande d'entreprendre des missions dans le pays.[45] Après la fin de la saison des pluies, ils se sont installés à Lukoshi, un village dirigé par un chef Lunda, et ils ont commencé à former les jeunes hommes qu'ils avaient amenés avec eux ; ils ont aussi commencé à apprendre la langue Lunda en prévision de l'évangélisation des Lunda.[46] C'était le début de la *Fox Bible Institute*, qui deviendra plus tard le *Congo Institute* (l'Institut du Congo), *Springer Institute* (l'Institut Springer), et quelques années plus tard l'Institut Kitabataba (une école secondaire), une faculté de théologie, et puis l'Université Méthodiste au Katanga, avec diverses facultés.[47] Selon certains observateurs, c'est la création de cette école à Lukoshi en 1910 qui a justifié la célébration de 100 ans de méthodisme dans le sud du Congo et en Zambie en 2010.[48]

C'est aussi à Lukoshi que les Springers ont rencontré Kayeka Changand, un ancien esclave congolais, qui a apporté une contribution importante au travail de mission dans le sud du Congo. Quand Kayeka apprit que les Springers étaient venus commencer une œuvre missionnaire parmi les Lunda, il fit savoir au couple qu'il priait depuis 12 ans pour qu'un missionnaire aille chez son peuple. Il voyait donc en leur présence la réponse à ses prières. Kayeka était devenu chrétien à Chisamba, en Angola, dans l'Église Congrégationaliste, avant de rejoindre les méthodistes au Sud Congo. Kayeka est retourné en Angola pour amener sa famille afin qu'il puisse rejoindre les Springers dans le travail d'évangélisation et d'autres projets de missions.

D'après Jeff Hoover, Kayeka Changand a été une figure très importante dans l'implantation de la mission méthodiste parmi les Lunda. Hoover écrit que « Kayeka Changand a été la figure clé de l'implantation méthodiste réussie en tant que tradition chrétienne majoritaire parmi les Ruund dans le nord-ouest du Katanga. » Toutefois, Hoover observe qu'alors « qu'aujourd'hui il est acclamé comme le héros et saint méthodiste Ruund, certains à Kapanga dans les années 1910 et 1920 se plaignaient qu'il parlait plus le [Kimbundu] que le uRuund et aussi qu'il avait une tendance autoritaire. »[49]

En 1912, les Springers vont rencontrer Mwant Yav, l'empereur du peuple Lunda, à Kapanga (Musumba). John demanda à ce dernier quel genre de missionnaire il voulait avant tout: un prédicateur, un médecin ou un enseignant. Yav choisit un médecin, d'où l'arrivée du Dr A. L. Piper en 1914. En 1913, les Springers s'installent à Kambove, un centre minier et administratif, pour y établir une station. Ils étaient persuadés que cet emplacement, situé sur la ligne de chemin de fer, offrait un grand potentiel pour atteindre un plus grand nombre de personnes.

Pendant ce temps, Kayeka, sa famille et six autres personnes venaient d'Angola, et ils ont rejoint Herman Heinkle et trois des jeunes qui avaient étudié avec les Springers à Lukoshi (dont James Lubona et Jacob Mawene) pour aller à Kapanga commencer le travail. En 1914, lorsque le Dr A. L. Piper et sa famille sont arrivés à Kapanga, une maison était prête pour eux. Certaines parties de la Bible ont également été traduites en Lunda et l'église a été établie. Dans le courant de la même année, quarante autres esclaves libérés sont arrivés d'Angola et se sont installés à Kapanga.[50] L'église s'est développée rapidement à Kapanga et un bon nombre d'élèves se sont inscrits à l'école primaire.[51]

Il est important de noter ici que quand Kayeka est revenu au Congo, il bénéficiait du soutien des chrétiens d'Angola qui appuyaient sa vision et ses efforts d'évangélisation. Dans ce sens il était revenu comme missionnaire, ayant pour but spécifique de participer à l'évangélisation et à l'implantation d'églises au Congo. Comme Hoover le souligne, « Quand Kayeka retourna définitivement au Congo pour travailler avec Springer, il vint comme missionnaire à part entière, soutenu par les chrétiens de Kanjundu [chef traditionnel en Angola qui était converti au Christianisme] et la communauté chrétienne Ovimbundu dans

son ensemble. Il était le chef d'une grande caravane de rapa-
triés, qui s'est d'abord installée avec lui dans un village chrétien
(encore appelé Kayek), près de la mission méthodiste à Kapanga,
elle-même située à proximité de la cour du souverain Lunda.»[52]
Kayeka avait fait des contributions énormes dans l'Église
méthodiste et dans la société. Il était un évangéliste efficace ; un
organisateur et leader de la communauté qu'il avait créée ; et il
avait contribué à la construction des maisons dans les stations
de mission et dans sa communauté. C'est ainsi qu'il fut reconnu
par l'administration coloniale pour son entreprenariat et pour
son exemple. Le gouvernement colonial construit donc pour lui
une maison de quatre pièces de briques brûlées et de ciment
au toit métallique, et bien finie à l'intérieur.[53] Réfléchissant sur
la contribution de Kayeka à l'Église méthodiste, Springer dira
quelques années plus tard que dans un sens très réel « Kayeka
avec ses 12 années de prière pour trouver les missionnaires
pour son peuple pourrait bien être appelé le Père de la Mission
du Sud du Congo, ou tout au moins l'Occasionnier. »[54]

Quand Kayeka est revenu au Congo avec sa famille, un
Luba du nom de Banza Kalwashi est venu vérifier si les anciens
esclaves Luba étaient en sécurité pour rentrer chez eux. Kalwashi
a aussi saisi l'occasion pour prêcher. Les gens avaient tellement soif d'entendre la bonne nouvelle, que Kalwashi a prêché
jusqu'à en perdre la voix. Après avoir rencontré les Springers,

Kalwashi, comme Kayeka, est retourné en Angola pour amener sa famille, prévoyant qu'à son retour, Springer aurait aussi un missionnaire pour son peuple Luba.

Il est important ici de noter que Kalwashi n'est vraisemblablement pas venu par ses propres moyens. Il avait derrière lui tout un groupe qui soutenait son voyage d'exploration pour voir s'il y avait suffisamment de sécurité pour qu'ils puissent rentrer chez eux, comme nous l'avons indiqué ci-haut. Comme Kayeka avant lui, Kalwashi a, semble-t-il, bénéficié du soutien des autres ex-esclaves Luba qui s'étaient convertis au Christianisme. Ceux-ci n'ambitionnaient pas seulement de rentrer chez eux, mais également d'aller évangéliser et partager la foi qu'ils avaient reçue en Angola. Certains éléments indiquent que Kalwashi était un représentant envoyé par la communauté chrétienne d'Angola, et qu'il n'était pas simplement un exilé rentrant chez lui. Selon Hoover, les chrétiens d'Angola qui l'avaient envoyé le considéraient comme leur ambassadeur.[55]

La station de mission d'Elisabethville (aujourd'hui Lubumbashi) a été créée en 1917 avec le concours d'un groupe que les Springers avaient organisé en 1914 pour soutenir les Nyasalanders (aujourd'hui les Malawites) qui avaient demandé l'appui des méthodistes afin que leurs réunions de prières reçoivent l'approbation officielle de l'administration coloniale et de leurs employeurs. Springer voyait l'importance stratégique de Lubumbashi comme la nouvelle capitale du Katanga attirant une grande variété de groupes ethniques et de nationalités. Il écrit: « Nous sommes arrivés à Elisabethville le 20 février 1917. Il n'a pas fallu longtemps à Mme Springer pour voir à quel point sa présence était nécessaire en tant que missionnaire dans cette jeune métropole vivante et naissante. Pendant les presque sept années qui ont suivi l'arrivée des rails (ou chemins de fer) dans le site de cette capitale, aucun missionnaire protestant n'y avait résidé. »[56]

Pendant cette même année (1917), Kalwashi, après son retour d'Angola, a aidé les Springers à établir une station à Kabongo, au nord de Lubumbashi, dans la capitale du royaume du chef Kabongo. Tout comme ils avaient établit un poste de mission à Kapanga, la capitale des Lunda. Maintenant, ils menaient une autre action stratégique en établissant un autre poste de mission à Kabongo.[57] L'idée était que la proximité avec le grand chef pouvait l'influencer de manière à le rendre favorable au travail missionnaire, et qu'il pourrait par la suite influencer l'ensemble de la communauté ou du royaume. Les esclaves libérés d'Angola ont aussi aidé les missionnaires à établir l'église à Kabongo, comme ils l'avaient déjà fait à Kapanga.

Malheureusement, les méthodistes ont décidé en 1933 de transférer la station de Kabongo à la *Congo Evangelistic Mission* (CEM), un groupe pentecôtiste d'origine britannique, en raison de plusieurs difficultés, notamment du manque de personnel et de fonds dû à la crise financière mondiale de l'époque. Plus tard, les méthodistes ont réalisé que c'était une erreur de laisser cette station de mission à un autre groupe protestant. Il y a donc eu très peu d'activité méthodiste dans le nord du Katanga entre 1933 et 1962. La seule exception était la présence méthodiste à Kanene à 65 km de Kamina, un autre lieu stratégique près de la capitale d'un autre chef Luba, nommé Kasongo Nyembo; mais cette zone de Kamina a été «prise» par la CEM.

Toutefois, les dirigeants et les enseignants recrutés et formés à Kabongo avaient l'option de rester à Kabongo pour travailler avec la CEM ou de se rendre à Kanene ou dans d'autres stations méthodistes du sud Congo pour contribuer aux travaux en cours dans ces postes-là. Omar Hartzler, qui était avec ses parents à Kabongo quand ces changements ont eu lieu, et a ensuite servi comme missionnaire au Congo, souligne que certains de ces leaders et enseignants qui ont choisi d'aller avec ses parents à Kanene « sont devenus plus tard certains des pasteurs les plus influents et efficaces [au Sud Congo], et après 1960 ils ont conduit le retour du méthodisme au Nord-Katanga ».[58] Il s'agit de personnes comme David Kumwimba Ilunga, André Mundele, Joël Bulaya et les autres.

En 1918, la Fox Bible Training School s'installe à Mulungwishi, mais elle est déplacée à Kabongo en 1919 faute d'avoir pu obtenir une concession du gouvernement. Kabongo s'est avéré être trop éloigné des autres grandes stations qui avaient besoin d'envoyer des étudiants pour la formation de pasteurs-enseignants. La Fox Bible School a été transférée à Kanene en 1924, à mi-chemin entre Kabongo et Kapanga, et à 65 km au sud-ouest de Kamina.[59] Elle deviendra plus tard l'Institut du Congo.

D'autres stations ont été établies à Sandoa et Mwajinga (1922), avec l'aide de Kayeka et d'autres ; Likasi (1924) ;[60] Mulungwishi (1936), comme le gouvernement avait finalement approuvé la création d'une station de mission et une école dans cette partie du pays ; et Kolwezi (1939) : un pasteur a été désigné pour cette ville minière et plus tard quelques collaborateurs supplémentaires ont également désignés pour cette station. L'église a élargi son rayonnement dans la plus grande partie du Sud du Congo et a établi des congrégations en Zambie voisine. Aujourd'hui, la région épiscopale du Sud-Congo est organisée en cinq conférences annuelles : Lukoshi, Nord-Ouest Katanga, Sud-Ouest Katanga, Sud-Congo et Zambie.

Développement du méthodisme uni en Zambie

En Zambie, l'Église méthodiste unie est présente dans les provinces suivantes : Nord-Ouest (Capitale Solwezi), Copperbelt (centrale) et la province de Luapula. On compte également des œuvres à Lusaka, la capitale du pays. Kabwita Kayombo identifie deux étapes qu'a connues l'Église méthodiste unie dans son implantation en terre Zambienne.[61] La première étape remonte au mois de juin 1978. Cette œuvre est celle de réfugiés méthodistes laïcs d'origine Zambienne ayant fuis les dévastations et perturbations de la guerre de Kolwezi pour rentrer chez eux dans la province du Nord-Ouest à Mwenilunga, limitrophe de la province du Lualaba, en RD Congo. Ces réfugiés ont pris l'initiative de se réunir en groupe de prière dans des maisons. Comme leur nombre ne cessait de croître, ils cherchèrent une salle de classe pour leurs réunions dominicales.

Les noms des deux couples suivants figurent parmi les agents majeurs du développement de l'Église méthodiste unie en Zambie : Paul Kamwana et Mujinga Nsompo (son épouse), et Jean Kalonga et Charity Mulemba (son épouse). Ces deux couples étaient amis depuis Kolwezi avant la guerre en 1978. Leur amitié et collaboration leur ont permis d'abattre un travail d'envergure qui a mené à l'implantation de plusieurs paroisses dans toute la Province de Mwenilunga. Lorsque le travail est devenu considérable et établit, ces leaders ont pris l'initiative de communiquer avec les responsables de l'Église méthodiste unie du Sud Congo pour leur demander d'encadrer ce travail et guider les efforts conjugués. C'est ainsi que l'évêque Katembo Kainda du Sud Congo organisera une délégation de laïcs et pasteurs du Sud-Congo pour descendre sur place afin de s'enquérir de la situation, examiner les besoins et déterminer comment soutenir matériellement la jeune église.[62] Cette délégation était composée des pasteurs Tshiyena Makina Moise et Kashala Kangoyi. Après avoir amorcé les constructions des temples a Mwenilunga et Solwezi par l'entremise du Missionnaire Jeff Hoover, sur initiative de l'évêque, le fameux groupe choc qui soutenait les œuvres de développement dans la région épiscopale organisera une descente en Zambie. Cette équipe comprenait des laïcs engagés, notamment : Kasongo Ilunga Jocelin, Ilunga Bulaya, Numbi Ndalamba, Mulimba Kikontwe , Muhona Kapumba, Kalaba Kangalesa , Luta Nachilombo Jeanne, Papa Ndemba, Papa Izula Mushinda , Mujinga Mushinji Jean, Luzolo Charlotte, etc. La Révérende Mujinga Kainda, épouse de l'évêque Katembo Kainda, était aussi membre de ce groupe. En 1996, cette équipe est descendue une nouvelle fois en Zambie pour participer financièrement aux travaux de finissage de la paroisse de Solwezi.

Vu la contribution importante fournie par ces pionniers de l'œuvre méthodiste en Zambie, l'église a reconnu et apprécié leur travail en les encourageant à poursuivre le ministère ordonné. C'est ainsi que messieurs Paul Kamwana et Jean Kalonga, et madame Mujinga Nsompo se sont inscrits à l'école pastorale de Kafakumba en vue de pérenniser le travail. Le Rév. Jean

Kalonga est devenu assistant de l'évêque en Zambie, fonction qu'il remplira jusqu'à son décès. Le Rév. Paul Kamwana fut Surintendant de district en Zambie, et enfin son épouse est venue mourir en RDC pendant qu'elle servait comme pasteur assistante dans la paroisse Ziona de Kenya, à Lubumbashi.[63]

La deuxième étape concerne l'implantation de l'église dans le Copperbelt. L'Église méthodiste unie dans cette partie de la Zambie a été implantée en 1983 par l'entremise de Mr Obed Mulonda Bupe, fils d'une famille zambienne qui avait vécu dans la paroisse Limite-Sud (Jérusalem) comme choriste. Une fois installé à Ndola, Mr Mulonda commença à prier chez lui avec sa famille et d'autres anciens fidèles méthodistes du Congo qui vivaient en Zambie. Une année après, les membres qui se réunissaient choisirent une salle de classe dans une école publique dénommée « Centre d'éducation continue pour adulte » comme nouveau lieu de culte.[64]

C'est à partir de là que l'Église s'est répandue dans divers coins de Ndola comme: Pamozi, Chifubu, Kawama, Ndeke, Chilonga, Chipulukusu et ailleurs. Grâce au travail des évangélistes qui continuaient à émerger dans l'œuvre méthodiste en Zambie, l'Église s'est répandue à Kitwe, Lwansha, Chingola et Chililabombwe. Kabwita observe que ces églises jouissent aujourd'hui d'un élan assez considérable grâce aux œuvres sociales et activités du feu missionnaire John Enright et de ses collaborateurs. Son travail social en Zambie a fait voir que les méthodistes unis avaient un message holistique et sont des partenaires incontournables d'autres églises et communautés religieuses et même de l'État zambien. Initialement on considérait les méthodistes unis comme faisant partie d'une secte d'origine congolaise qui n'avait pas de fondement doctrinal solide. Mais cela n'est plus le cas.

Beaucoup d'autres personnes en Zambie et au Congo ont influencé l'implantation de l'Église méthodiste unie en Zambie. Les noms suivants doivent être retenus: Francis Lufunda, Henri Kunda, Mr Chumuwe, Lazarus Kiziba, Maman Mwango, Maman Nyamushisha, Maman Kunda, Baba Ilunga, Rév. Jean Kalonga, Rév. Paul Kamwana, Rév. Mujinga Sompo, Rév. Ikowa Amon, Rév. Champo Alfred, Rév. .Chulu Mafuta, Rév. Ngombe Mujinga, Rév. Kunda Henri, Mr Francis Lufunda, Rév. Kilembo Shakikupe, Baba Obed Mulonda, Rév. Daiman Mainsa, Rév. Dr. Bwalya Laishi, Rév. Kasambu Mumba, Rév. Lewis Malaho, Rév. Bernard Lumene, Rév. Luka Kasweka, Maman Bethy Tshala, Rév. Crayson Mwaila, Rév. Keneth Kalichi, Rév. John Ilunga, Rév. Marie Kunda, etc. Mais il faudra toutefois noter que c'était sous la houlette de l'évêque Katembo Kainda que cette initiative a porté des fruits avec la collaboration de l'Église du Sud Congo qui ne cesse jamais d'encadrer l'Église en Zambie. Dans son discours bilan du 27 Juillet 2016, l'évêque Katembo a noté que, par la grâce de Dieu, on compte maintenant en Zambie 10 districts, 110 circuits, 56 églises organisées, et 122 pasteurs.[65] La caractéristique principale de l'œuvre méthodiste en Zambie est l'annonce d'un évangile holistique. L'évangélisation holistique permet à l'église de répondre aux différents besoins humains—l'éducation, la santé, et d'autres aspects sociaux. L'Eglise méthodiste unie, avec l'aide de ses missionnaires partis de la RD Congo suite aux guerres et aux pillages, a pu réaliser une évangélisation holistique en combattant la faim, en répondant aux différents besoins physiques et en formant de nombreuses personnes à différents métiers. Kabwita fait remarquer que l'église, qui n'avait rien de durable, se trouve maintenant dotée de concessions en Zambie pour les travaux suivants :

- Mujila Agriculture Center (Kanyama) : agriculture et élevage. Ce centre alimente la ville de Mwenilunga en poulets, œufs, etc., grâce aux œuvres du Rév. Paul Webster et du feu missionnaire Fredy Tshala Mwengo.
- Lord Mountain Orphanage (Zambezi): C'est un orphelinat qui fonctionne grâce au courage du Rév. Bernard Lumene et de son épouse Bethy.
- New Life Center (Kitwe): C'est un centre de retraite et de conférences.

- Kafakumba Training Center : Centre de conférence et École pastorale où étudient congolais, zambiens et tanzaniens. Il y a également d'autres programmes et activités en nutrition, coupe et couture, menuiserie, agriculture et apiculture (élevage des abeilles).[66]

Avant d'aborder les développements dans d'autres parties du Congo, il est important de noter que l'un des principaux défis auxquels ont été confrontés les premiers missionnaires méthodistes et autres protestants était la suspicion coloniale belge que les missionnaires protestants étaient des agents des intérêts anglo-saxons au Congo. Même si les missionnaires protestants jouissaient de la liberté d'évangéliser et de fournir des services sociaux tels que la santé et l'éducation, l'administration coloniale favorisait plus les missions catholiques et elle octroyait à ces dernières des subventions pour soutenir leurs projets de mission tels que la construction d'écoles, de dispensaires et même d'églises. L'Église catholique était donc considérée comme une église nationale et les Églises protestantes comme des églises étrangères.[67] En effet, les projets de missions catholiques ont été très bien subventionnés par le gouvernement colonial dès le début de l'occupation coloniale belge, et les subventions ont été officialisées en 1906 par un concordat signé avec le Vatican. Les missions protestantes n'ont reçu aucune subvention pour leurs écoles avant 1948.

Dans beaucoup d'endroits, « le missionnaire catholique était le seul représentant de l'État dans cette région, et sa présence et son autorité sont devenues synonymes de celle de l'État. »[68] A cause de cette alliance, on a dit que le Congo était gouverné par une trinité de pouvoirs: le gouvernement belge, les grandes entreprises et l'église catholique. Compte tenu de cette position privilégiée de l'Église catholique, ainsi que de la suspicion et de la peur des protestants pendant l'ère coloniale, les missions méthodistes sous Springer et ses successeurs ont toujours cherché à montrer aux autorités belges leur volonté d'établir une collaboration respectueuse avec le gouvernement colonial.[69] Toutefois, il est intéressant de noter que cette stratégie de relations avec le gouvernement colonial a eu pour effet que les méthodistes congolais, au Congo indépendant, sont moins prophétiques dans leur attitude à l'égard des questions publiques touchant les Congolais ordinaires, tandis que les catholiques, qui entretenaient des relations étroites avec le gouvernement colonial, ont ironiquement développé une perspective plus libérationniste et ont donc joué un rôle important dans la dénonciation des violations flagrantes des droits de l'homme et des abus de pouvoir par le gouvernement congolais.[70]

CHAPITRE 3

L'ÉGLISE MÉTHODISTE DANS LE NORD KATANGA ET LA TANZANIE

Le retour au Nord Katanga

C omme indiqué dans le chapitre précédent, le méthodisme uni fut établi dans la terre luba en 1917 par John M. Springer, avec l'aide de Banza Kalwashi, leader d'un groupe d'esclaves libérés de l'Angola qui souhaitait présenter l'Évangile à son peuple luba. Kalwashi a guidé John et Helen Springer de Kinkondja, où ils l'ont trouvé, à Kabongo, où ils ont rencontré le chef Kabongo et établi une importante station de mission, avec plusieurs antennes dans les environs de Kabongo. Comme indiqué plus haut, une autre station importante dans la terre luba fut établie à Kanene en 1922 près du poste de Kinda dans le territoire de Kamina, mais il n'y avait pas de poste de mission à Kamina durant ces premières années. Kamina était un lieu assigné à la Congo Evangelistic Mission (CEM) conformément à des arrangements conclus avec d'autres membres du Conseil Protestant du Congo (CPC).[71] Lorsque les méthodistes ont cédé à la CEM toutes les stations situées sur le territoire de Kabongo, la seule station méthodiste restante dans la terre luba de 1933 à 1962 était Kanene. Il est important de noter que Kanene était appelé « la mère de tous les étudiants méthodistes » tant au Sud Congo qu'au Nord-Katanga parce qu'il était un grand centre scolaire et d'éducation méthodiste.[72] C'est là que se trouvait le Congo Institute, un important établissement d'enseignement de l'Église méthodiste au Sud Congo, avant qu'il ne soit transféré à Mulungwishi en 1940. Des étudiants de nombreuses autres régions du Congo ont étudié ici.[73]

Début de l'œuvre à Kalemie et dans d'autres centres

L'église méthodiste est rentrée dans le Nord Katanga en 1962. Le révérend David Kumwimba Ilunga (1910–1989), l'une des personnes qui sont allées avec l'Institut du Congo de Kabongo à Kanene, a été le principal agent de la relance de l'œuvre méthodiste dans l'ensemble du Nord-Katanga après 1960. À la conférence annuelle de 1958, le révérend David Kumwimba

Ilunga initia une réunion de tous les pasteurs ressortissants du Nord Katanga pour qu'ils étudient ensemble la possibilité de réimplanter l'Église méthodiste dans le Nord Katanga. Résultat de cette réunion, une lettre fut adressée au Comité Exécutif de la Conférence du Sud Congo de 1958 qui avait eu lieu à Kolwezi pour demander l'autorisation de rétablir l'Église méthodiste au Nord Katanga.

Après une étude soutenue, l'évêque Booth donna son approbation à la réunion du Comité exécutif de 1960, et l'on sélectionna deux laïcs et deux pasteurs pour visiter la région du Nord Katanga et présenter un rapport de faisabilité : les révérends Joël Bulaya et Henock Mwamba, et les laïcs Arnauld Makonga et Enock Ilunga. Malheureusement, la guerre de Manono en 1960 n'a pas permis à cette délégation de se rendre dans le Nord-Katanga. En raison de la guerre de sécession qui faisait rage dans tout le Katanga, le révérend David Ilunga se rendit à Kinshasa le 29 novembre 1961 et il y resta presqu'un mois, cherchant à obtenir des papiers permettant aux méthodistes d'établir des églises dans le nord du Katanga. Ilunga arriva à Kalemie le dimanche 20 février 1962.[74]

Les travaux commencèrent à Kalemie le 2 avril 1962.[75] En août 1962, la Conférence annuelle du Sud-Congo à Kapanga approuva l'église du Nord-Katanga comme septième district de la Conférence du Sud-Congo. Ilunga affirme que c'était un acte de foi pour l'évêque Newell Booth d'affecter des gens à cette œuvre. Il décrit l'évêque Booth comme un homme de foi qui faisait confiance aux gens et qui disait toujours : « les gens le feront !»[76]

Toutefois, les participants à la Conférence annuelle du Sud-Congo qui se tenait à Kapanga doutaient que commencer le travail sans budget ni personnel suffisant pouvait donner de bons résultats. Mais l'évêque Booth dit : « Commençons avec les quelques personnes que nous avons déjà.»[77] C'est ainsi que la conférence décida de désigner trois pasteurs et quatre directeurs d'école qui allaient rejoindre le révérend David Ilunga pour poursuivre les travaux de développement du Nord-Katanga. Les personnes suivantes ont été nommées: Le révérend Joël Bulaya Ngoi-a-Sanza (1902-1988) comme pasteur à Manono et Malemba, avec Jason Mukanya et Pierre Mwamba comme directeurs d'écoles respectivement pour Manono et Malemba. Le révérend André Mundele (1912-1982), pasteur à Kabongo,[78] avec Paison Mpoyo comme directeur d'école. Le révérend Kazembe Albert Mukumbi, nommé à Albertville (aujourd'hui Kalemie), avec Gaspar Bondo comme directeur d'école. Ésaïe Kabange Yenda, enfin, fut nommé inspecteur scolaire pour toutes les écoles tandis que le révérend David Ilunga fut nommé surintendant de district.[79] David Ilunga et ses collègues étaient conscients que toutes ces stations avaient le potentiel de devenir des districts à part entière ; et ils conjuguaient donc tous leurs efforts dans cette perspective. Un autre groupe de pasteurs vint rejoindre la première équipe après quelques années; il s'agissait du révérend Mutombo Benson, qui alla à Mwanza, et le révérend Maurice Ngoy Kimba Wakadilo, future évêque, qui figurait parmi les enseignants de l'école secondaire implantée à Manono puis transférée à Kabongo à cause de la guerre, et au bout du compte à Kamina où elle deviendra l'Institut Booth et après quelques années, l'Institut Nkenda-Bantu à cause de la philosophie Mobutiste de l'authenticité qui exigeait que tous les noms considérés occidentaux soient remplacés par des noms africains.[80]

Le premier missionnaire à visiter le Nord-Katanga et à pénétrer cette région depuis l'évacuation précoce en 1933 a été le Révérend Dr Omar L. Hartzler, qui, à un moment donné, avait servi comme assistant de l'évêque Booth, en plus de son travail d'enseignant à Mulungwishi.[81] Hartzler est arrivé à Kalemie le 3 mai 1963 et il a voyagé avec le Révérend David Ilunga pour visiter les quatre stations (Kalemie, Manono, Malemba et Kabongo) pour se renseigner sur l'évolution du travail et parler avec lui de leurs besoins. Dans son rapport écrit à l'évêque Booth depuis Mulungwishi à la fin de sa visite, Hartzler dit que les gens « font preuve d'une acceptation vigoureuse et enthousiaste de l'évangile, comme en témoignent [leur façon de chanter et leur fréquentation régulière] à l'église. Si nous parvenons à combiner cette chaleur authentique avec notre ordre et notre vaste programme de service, nous aurons une église saine. »[82] L'évêque Newell Booth a également visité Kalemie, Manono, Kabongo et Kamina.[83] Quatre autres missionnaires du Sud Congo se sont également rendus à Kalemie et à Manono pour voir les travaux.[84] Leur présence a été importante parce qu'elle a permis d'attirer l'attention de l'église sur le travail accompli et de mettre en évidence les besoins de l'œuvre dans le Nord-Katanga. En 1964, Omar Hartzler se rend à Kamina et Kanene et, pendant l'été de 1970, il passe trois ou quatre jours dans chacune des localités que sont Kamina, Kanene, Kabongo, Kabalo, Mwanza et Manono. Voyant la vitalité missionnaire et les besoins de l'église, Hartzler recommanda que « quelques missionnaires stratégiquement placés et soutenus par un budget adéquat fourniraient de grands résultats. »[85] Quelques années plus tard, Hartzler fut invité à quitter sa retraite en Californie par l'évêque Ngoy Kimba Wakadilo, en 1986–1987, pour servir comme premier directeur général de l'Institut Supérieur Pédagogique de Kamina, le premier établissement d'enseignement supérieur dans le Nord-Katanga et une grande contribution de l'Église méthodiste unie à l'enseignement supérieur et universitaire.[86]

Dans sa lettre au gouvernement demandant l'autorisation de créer l'ISP à Kamina, l'évêque Ngoy Wakadilo de l'Église méthodiste unie au Nord-Katanga avait souligné les points suivants:

- Presque tous les établissements d'enseignement supérieur ont jusqu'à présent été créés dans les villes minières du Sud Congo.

- Il a toujours été très difficile pour les enfants dont les parents vivent dans les zones rurales du nord-est de profiter de ces opportunités; les distances et le coût de la vie sont prohibitifs dans les grandes villes.

- Les personnes instruites dans les villes ont du mal à s'adapter à la vie dans le Nord rural. En conséquence, le chômage des intellectuels est élevé dans les zones urbaines et on observe une pénurie de personnes bien formées dans les zones rurales. On estimait [dans les années 1980] que jusqu'à 70 % des enseignants des écoles secondaires rurales étaient sous-qualifiés.

- Les personnes formées en ville, même si elles acceptent de travailler dans les régions rurales, ont beaucoup de mal à s'adapter au mode de vie qu'elles y trouvent.[87]

L'œuvre dans le Nord-Katanga s'est rapidement développé. En 1964, le nombre de districts est passé d'un à trois, en quelques années seulement. La même année, John Wesley

Shungu a été élu premier évêque congolais pour les deux conférences annuelles du Congo. David Ilunga décrit l'évêque Shungu comme « une personne dotée d'une capacité étonnante qui nous rappelle celle d'un éléphant.» Lorsqu'un éléphant passe sur un chemin, « il ouvre la voie sans difficulté.»[88] Pendant les quatre premières années de l'épiscopat de l'évêque Shungu, le nombre de districts a atteint six : Kanene-Kamina, Kabongo, Malemba-Bukama, Kabalo, Manono, Kalemie. En 1968, les six districts du Nord-Katanga ont été autorisés par la Conférence générale à constituer une conférence provisoire. Puis, en 1970, la session extraordinaire de la Conférence générale a autorisé la transformation de la Conférence provisoire, qui comptait alors sept districts, en une conférence annuelle à part entière.[89]

Ilunga attribue la majeure partie de ce travail à l'évêque Shungu en disant : « c'est ainsi que notre éléphant a travaillé.»[90] En 1970, lors de la première session de la Conférence annuelle du Nord-Katanga, le surintendant Ilunga a exprimé sa gratitude à l'endroit de l'évêque Shungu pour son travail acharné et ses encouragements, et il a ajouté que le Nord-Katanga lui avait donné un nouveau nom : *Mukamba Fikile Ulu*;[91] ce qui veut dire un pilier qui maintient les choses ensemble de manière fiable, et quelqu'un sans qui la structure entière peut s'effondrer. Il convient toutefois de noter que même si David Ilunga se montrait reconnaissant envers l'évêque Shungu, bon nombre de ses collègues pasteurs et les laïcs pendant ces années-là et au-delà l'ont considéré comme l'homme fort, un grand travailleur, administrateur et visionnaire qui, en fait, était le principal acteur de la relance de l'œuvre méthodiste dans tout le Nord-Katanga. Pour beaucoup, l'appellation Nord-Katanga s'associait au nom de David Ilunga. En d'autres termes, dire Nord-Katanga équivalait à dire David Ilunga. En effet, Ilunga, en sa qualité de surintendant général représentant l'évêque, n'était pas seulement le porte-étendard ou avocat du Nord-Katanga. Il était le Nord-Katanga.[92] Se souvenant de l'impact du travail du révérend David Ilunga, le Révérend Dr. Kasongo-Lenge Kansempe, ancien secrétaire académique de la Faculté Méthodiste de Théologie à Mulungwishi, note surtout l'impact de l'école secondaire créée principalement grâce aux efforts du révérend David Ilunga et de ses collaborateurs. Le Dr Kasongo-Lenge lui attribue le mérite d'avoir contribué à sa conversion au méthodisme à travers son inscription à l'école secondaire méthodiste à Kabongo ; il lui attribue également la conversion de sa mère et de toute sa famille. Sa famille faisait le culte à la CEM, mais sous l'influence du révérend Ilunga ils s'étaient converti au méthodisme.[93]

Mission en Tanzanie

Aujourd'hui, la région épiscopale du Nord-Katanga s'est considérablement étendue et est maintenant divisée en trois conférences annuelles : Nord-Katanga, Tanganyika et Tanzanie. Le projet de la mission en Tanzanie a débuté en 1989, avec l'accent mis sur le ministère d'évangélisation et l'implantation d'églises en Tanzanie.[94] L'évêque Ngoy Kimba Wakadilo a été le principal initiateur de ce projet. Au début, l'évêque nomma le révérend Muyombi Kapanda Makozo comme premier missionnaire congolais en Tanzanie. En 1990, l'évêque Ngoy désigna le révérend Kasweka Tshifunga et la révérende Numbi Ilunga, un couple pasteur, pour rejoindre Muyombi. Ils arrivèrent à Dodoma avec leurs deux enfants et fondèrent une église dans cette ville. En 1992, le révérend Mutwale Ntambo Wa Mushidi a été désigné pour rejoindre l'équipe. Lui et son épouse Kabaka Ndala Alphonsine et leurs quatre enfants sont allés à Tabora. La même année, le révérend Umba Ilunga Kalangwa a également ment été nommé en Tanzanie. Lui et son épouse, Ngoy, et leurs quatre enfants se sont rendus à Morogoro, une ville située à l'ouest de Dar es Salam, la capitale, et y ont fondé une église. Le révérend Kazadi Umba et son épouse et leurs quatre enfants sont allés à Kigoma.

Ces missionnaires congolais ont rencontré plusieurs difficultés. Premièrement, le manque de fonds suffisants pour financer les activités de la mission était un problème majeur. Deuxièmement, le swahili congolais qu'ils parlaient était différent du swahili parlé en Tanzanie, qui est décrit comme le swahili

Bora (ou swahili parfait). Il leur a fallu des efforts considérables pour maîtriser le swahili tanzanien afin de pouvoir communiquer efficacement l'évangile et de réaliser un travail pastoral significatif. À voir aujourd'hui le développement du méthodisme uni en Tanzanie, et en particulier le nombre d'églises créées, il faut reconnaître et apprécier à leur juste valeur les efforts hautement louables de ces pasteurs-évangélistes, pionniers de la mission méthodiste unie en Tanzanie. Troisièmement, le défi de s'adapter au nouvel environnement et d'apprendre à fonctionner efficacement dans un contexte national différent. Quatrièmement, le défi de créer des églises dans un contexte où l'Islam est populaire. Cinquièmement, la difficulté de l'éducation des enfants en raison de l'insuffisance des ressources financières et des difficultés linguistiques. Certains ont décidé de renvoyer leurs enfants au Congo pour éviter les complications liées à la langue et à un système éducatif différent[95] Mais ces actions exigeaient des sacrifices énormes en famille.

Se remémorant les premières années de leur travail de missionnaire, le révérend Mutwale dit : « Il était très difficile de nous comprendre. On nous collait toutes sortes d'étiquettes : des réfugiés, des pauvres qui ont fui la famine chez eux pour venir tromper le peuple, etc., car nous n'avions rien d'autre que la Parole de Dieu. Pas de bâtiments ni d'infrastructure de l'église pendant longtemps. Cela nous a beaucoup frustrés en plus de nous coûter cher. » Mutwale continue : « Mais nous remercions Dieu car nous avons vu sa présence nous accompagner ; et il nous a donné la force de commencer et de continuer le travail. »[96]

L'évêque Ngoy est mort en 1994 et l'évêque Katembo Kainda du Sud Congo a été désigné évêque par intérim du Nord-Katanga par le Conseil des évêques. En 1995, la conférence a décidé de rappeler la plupart des pasteurs au Congo; il ne restait que deux pasteurs en Tanzanie. L'évêque Katembo a nommé le révérend Mutwale à Kigoma et lui a également confié la responsabilité de superviser le travail dans tout le pays, y compris les 11 églises existantes à cette époque-là. Le révérend Mutwale est ainsi devenu représentant de l'évêque et aussi représentant légal en Tanzanie.

À partir de 2001, le révérend Mutwale et certains de ses collègues ont été mandatés comme missionnaires du Conseil général des ministères mondiaux (GBGM). Cette évolution a apporté une grande stabilité dans le travail de l'église, et elle a considérablement contribué à faire progresser l'œuvre en Tanzanie. Le Révérend Mutwale est actuellement surintendant général, représentant et assistant de l'évêque du Nord Katanga en Tanzanie. En 2016, la Conférence générale a autorisé l'EMU en Tanzanie à devenir une conférence annuelle à part entière. Cette conférence compte à présent 10 districts, plus de 100 églises, 59 anciens ordonnés, et 15 diacres. Il y a aussi un ministère de la jeunesse très dynamique dans plusieurs des districts. La paix et le calme dans le pays permettent de poursuivre et d'avancer le témoignage de l'église et de grandir.[97] L'église en Tanzanie a un avenir brillant car les Tanzaniens ont accueilli avec enthousiasme le méthodisme uni et ils se sont approprié cet héritage d'un évangile holistique qui bâtit l'être humain dans sa totalité. Grâce à la vision initiale de l'évêque Ngoy Kimba Wakadilo et aux efforts de la conférence annuelle du Nord Katanga, en particulier les pasteurs-évangélistes pionniers qui ont travaillé dans des conditions très difficiles avec leurs collègues et collaborateurs Tanzaniens.[98] La Tanzanie est devenue une Conférence provisoire et ensuite une Conférence à part entière pendant l'épiscopat de l'évêque Ntambo.

CHAPITRE 4

L'ŒUVRE MÉTHODISTE AU CONGO CENTRAL ET AU CONGO EST

Début de l'œuvre au Congo central

Le travail de mission au Congo central a été commencé principalement par l'évêque Walter Russell Lambuth (1854–1921) de l'EMES (MECS) aux États-Unis. [99] Lambuth est élu évêque en 1910 et désigné au Brésil et en Afrique. L'historien congolais Michael Kasongo souligne deux facteurs qui semblent avoir réveillé l'intérêt de Lambuth pour le lancement d'une mission en Afrique. Le premier facteur c'est la conversation d'une heure qu'il a eue avec Henry M. Stanley lors d'une de ses visites à Nashville. Après avoir exploré l'intérieur du

Congo, Stanley insistait sur la nécessité de « verser la civilisation occidentale dans la barbarie de l'Afrique » et que sans un tel effort « l'Afrique serait musulmane si les missionnaires chrétiens ne parvenaient pas à gagner tout le continent pour le Christ.»[100] Après son interview avec Stanley, Lambuth a écrit qu'il avait été conforté dans son intention de lancer une mission méthodiste en Afrique.[101] Un autre facteur est l'appel répété des Presbytériens du Sud qui avaient implanté une mission à Luebo dans le Kasai en 1891, en se concentrant sur les groupes ethniques Baluba Kasai, Lulua, Basonge et Bakuba. Comme les presbytériens avaient focalisé leurs efforts sur ces groupes ethniques, il restait dans la partie nord du Kasai une population de plus d'un million de personnes qui n'avaient pas encore été évangélisées. C'est ainsi qu'ils voulaient que les méthodistes du Sud établissent des missions parmi les Atetela dans le Sankuru. Les presbytériens du sud ont choisi Luebo comme poste de mission en raison de sa situation géographique stratégique à l'intersection de deux rivières du Kasai. C'était un endroit à partir duquel on pouvait atteindre de nombreuses personnes.

Une caractéristique particulière du travail missionnaire des presbytériens du Sud au Congo était la forte implication des noirs américains. Dès le début, le Conseil des missions de l'Église presbytérienne du Sud a mis en place une initiative interraciale pour le travail d'évangélisation en Afrique. Cette approche avait pour but d'encourager l'intérêt des Noirs Américains pour la « rédemption » chrétienne de l'Afrique pendant les années du mouvement de la mission américaine sur le continent africain. Les commissions de mission blanches avaient particulièrement le désir d'envoyer des missionnaires noirs américains en Afrique « parce que certaines régions étaient considérées comme la 'tombe de l'homme blanc' et on croyait [à tort] que les noirs avaient une immunité face aux maladies de l'Afrique tropicale.»[102] Ainsi, des Afro-Américains ont été recrutés pour accompagner presque tous les pionniers missionnaires blancs. En effet, les missionnaires presbytériens noirs se sont révélés très efficaces dans leur service et ils ont obtenu dans une mesure inhabituelle la confiance et la réaction des Africains.[103] C'est dans cet esprit, par exemple, que William Sheppard, un pasteur noir de Virginie, et Samuel N. Lapsley, un pasteur blanc, ont été désignés missionnaires dans le Kasaï.[104]

Fondation de la mission de Wembo Nyama

Lambuth, suivant l'approche interraciale des presbytériens du Sud, voulait que la mission de l'Église méthodiste soit un projet conjoint des églises noires et des églises blanches aux Etats-Unis. Il s'adressa donc à l'Église méthodiste des gens de couleur (la Colored Methodist Church) et choisit le Dr John Wesley Gilbert, professeur au Paine College d'Augusta, en Géorgie, pour l'accompagner dans ce voyage d'exploration. En octobre 1911, Lambuth et Gilbert partent d'Anvers, en Belgique, pour Matadi, puis pour Luebo où ils séjournent quinze jours. Le 22 décembre 1911, ils partirent à pied pour Ewangu, le village du chef Wembo Nyama, qu'ils atteignirent le 1er février 1912. Ils y ont reçu un accueil très chaleureux et le chef Wembo Nyama a déclaré que tout son royaume était ouvert à la mission méthodiste.[105] Le 13 mars 1912, Lambuth et Gilbert retournent aux États-Unis pour recruter des missionnaires pour le Congo central. C'est ainsi que six missionnaires sont arrivés à Wembo-Nyama le 2 février 1914 pour commencer les travaux. Parmi eux, le Dr Daniel L. Mumpower, un médecin et son épouse (une infirmière qualifiée); Charles C. Bush (un prédicateur) et sa femme (une enseignante); et John Stockwell et son épouse (le nom n'est pas fourni).[106] Il y avait aussi deux évangélistes congolais et treize membres de l'église de Luebo qui ont décidé de retourner chez eux à Wembo-Nyama. Mais il n'y avait pas de missionnaires noirs américains dans le groupe. La mission à Wembo Nyama a été officiellement inaugurée par l'évêque Lambuth le 12 février 1914. Mais Lambuth n'est jamais revenu après cela. Au départ, le travail de mission consistait principalement en l'élaboration d'une écriture pour la langue Atetela, le nettoyage du terrain pour la construction des maisons des missionnaires et des collaborateurs congolais de Luebo, la création de plantations agricoles, et la mise en place d'une école primaire et d'une école de formation des évangélistes (Evangelistic Training School). Les deux évangélistes congolais de Luebo, Moses Mudimbe et Lufaka, qui sont venus avec les missionnaires, ont commencé à prêcher dans les villages environnants et à aider à traduire certaines parties des Écritures, des hymnes et un catéchisme dans la langue Atetela.[107] Il est aussi important de noter le travail de Charles Kimbulu, premier congolais ordonné diacre en 1930 dans la conférence du Congo central. Kimbulu a été capturé comme esclave lors d'un raid arabe quand il était enfant. Il a été libéré après de nombreuses années, puis il est venu à Wembo Nyama pour travailler dans la charpenterie. C'est ici qu'il est devenu chrétien et évangéliste.

Création d'autres postes de mission

D'autres postes de missions ont été créés en 1921 à Lubefu et Kabengele; puis ils ont été transférés à Minga en 1922 (mais Lubefu et Kabengele sont officiellement fermés en 1927) ; Tunda est ouvert en 1922;[108] Kombe (1922); Lusambo (1927) ; Kandolo, Lodja (1931).[109] D'autres stations ont vu le jour dans les années 30, 40, 50, et 60, notamment dans les territoires Katako-Kombe (1943) ; Kindu (1954) ; Lomela (1958),[110]et Kananga (1960). Le développement de l'église dans ces régions était attribuable aux activités missionnaires et sociales. Dans beaucoup de cas, les gens voulaient que l'on construise des postes de missions dans leurs villages parce qu'ils voulaient que l'on implante aussi des écoles ou un hôpital ou d'autres services sociaux qu'ils voyaient à Wembo-Nyama. À Tunda, par exemple, le chef Tunda a vu ce qui se passait à Wembo Nyama et a voulu que l'église envoie aussi des missionnaires dans son village. Il voulait particulièrement que les missionnaires installent un hôpital dans cette localité, qui se situait à 100 km à l'est de Wembo Nyama, de l'autre côté de la rivière Lomami. La réputation du médecin et de ses collaborateurs à Tunda avait joué un rôle déterminant dans la conversion de nombreuses personnes au christianisme dans la conglomération de Tunda. Il est aussi important de noter ici que les personnes qui ont aidé à créer le poste de mission de Kindu étaient pour la plupart des patients qui s'étaient convertis à Tunda et à Wembo-Nyama avant de s'établir à Kindu.[111] Les premiers missionnaires à s'installer à Tunda étaient Ansil Lynn et son épouse (une enseignante), et leur bébé William. Le deuxième missionnaire venu les seconder était Eral B. Stilz. Au milieu des années 1950 et au-delà, le nombre d'églises, de membres d'églises et de prédicateurs Atetela avait considérablement augmenté.[112] L'Église méthodiste a établi une base solide avec de nombreuses écoles primaires, des cliniques médicales et des programmes solides d'évangélisation qui incluaient des réveils et des prédications dans les villages par des évangélistes autochtones comme Moïse Ngandjolo, surnommé le Billy Graham Tetela. [113] Ngandjolo était un évangéliste très efficace dont le travail a abouti à des conversions massives de personnes. Il a particulièrement contribué à la croissance de l'église dans la partie nord de Sankuru dans le district de Lodja. On rapporte qu'en raison de son travail, le nombre de prédicateurs est passé à 350 dans la région de Lodja et ceux-ci faisaient le ministère avec des multitudes de personnes dans tout le nord du Sankuru. [114] Kasongo écrit que « sous la direction de Moses Ngandjolo et d'autres prédicateurs et laïcs Atetela qui ont évangélisé la partie nord du territoire de Katako-Kombe dans les années 30, plusieurs églises locales ont été établies dans des villages importants. C'est pourquoi les chefs locaux ont autorisé les missionnaires méthodistes à créer une station de mission à Katako-Kombe, avant même que les missionnaires n'eurent reçu une lettre officielle du gouvernement belge les autorisant à le faire. » [115]

Le cas de Kindu est un autre exemple de la contribution des congolais dans le développement des missions méthodistes. Ce sont les autochtones qui ont commencé le travail avant que les missions n'envoient des missionnaires. Alexander Reid attribue cet enthousiasme évangélique aux réveils des années

30 à Wembo Nyama. Reid observe qu'un patient à l'hôpital de Wembo Nyama du nom de Alfos Lukala fut le premier évangéliste qui se mit à témoigner de sa foi dans la région de Kindu. Bien que l'église était établie à Tunda dans la province du Kivu, ou Kindu se situait, dans les années 20, c'est le témoignage de Lukala qui a fourni la preuve qu'une église existait dans les environs de Kindu. Comme Reid le dit,

Après le grand réveil de Wembo Nyama en 1932, un patient de l'hôpital, Alfos Lukala, est rentré chez lui dans sa famille de Lufingula dans la section Kindu et a témoigné du pouvoir rédempteur du Christ. Dès 1933, il a assisté à une réunion de district à notre station de Wembo Nyama et il avait présenté des dîmes et des offrandes qu'il avait collectées à Lufungula. C'était la première preuve que nous avions de l'existence de l'église dans la région de Kindu.[116]

Toutefois, Reid indique que le témoignage du Dr W. B. Lewis, médecin à Tunda, était aussi connu à Kindu. Ce médecin avait une très bonne réputation à cause de son travail à l'hôpital de Tunda. Comme nous l'avons indiqué plus tôt dans ce travail, beaucoup de gens devenaient chrétiens après avoir été traités par les missionnaires médecins dans les cliniques méthodistes.

Région épiscopale du Congo Est

L'église méthodiste du Congo central a étendu ses activités dans la plupart des provinces du Kasai et elle s'est étendue aux provinces de Maniema, du Sud-Kivu, du Nord-Kivu, à l'ancienne province de l'Équateur et à l'ancienne province Orientale et au-delà.[117] Elle a également implanté des églises en République centrafricaine, en République du Congo et au Gabon. La région épiscopale du Congo central est actuellement constituée de trois conférences annuelles : Conférence annuelle du Congo central, Conférence annuelle du Kasai, et Conférence annuelle de l'Ouest Congo. En 2012, la Conférence générale a autorisé la création de la Conférence du Congo Est comme la quatrième région épiscopale au Congo. Cette région est aussi constituée de trois conférences annuelles : Conférence annuelle de l'Est-Congo, Conférence annuelle du Kivu, et Conférence annuelle de l'Equateur et de l'Oriental. Du point de vue géographique, cette région épiscopale est la plus grande au Congo, recouvrant un vaste espace physique. Le bureau épiscopal se situe à Kindu, la capitale de la province de Maniema. Mais l'église dans ces provinces de l'Est a connu un revers important au cours des années de guerre (1997–2003) et des conflits armés en cours dans la majeure partie de l'est du Congo. Cependant, la nouvelle zone épiscopale de l'Est du Congo est l'une des conférences les plus dynamiques du pays et l'église y est profondément attachée à son ministère en expansion, car elle continue de faire une différence dans la vie des personnes et des communautés touchées par la violence. L'Evêque Gabriel Y. Unda, qui a été élu en 2012 et réélu en 2016, recense, dans un article très réfléchi mais succinct, les défis et les difficultés auxquels est confrontée la région épiscopale du Congo Est, en soulignant les ravages causés par la guerre et les crises sociales et humanitaires qui en ont résulté, et comment toutes ces réalités rendent difficile le travail de mission de l'église dans cette partie du pays. Ecrivant en 2014, l'évêque Unda note que « de nombreuses parties de la région épiscopale du Congo Est sont encore en proie à des bouleversements et à des déplacements de milices qui continuent de déstabiliser la région frontalière de l'est du pays. Les principales infrastructures sociales – écoles, centres de santé et hôpitaux – ont été détruites par des groupes armés et des rébellions.»[118] Unda continue de dénoncer la violence sexuelle récurrente à l'égard des femmes et des enfants, le nombre important de personnes vulnérables et déplacées à l'intérieur du pays, et la façon dont tous ces facteurs continuent à affecter le fonctionnement de l'église, et surtout le travail de mission et de ministère. Il écrit qu'au milieu de ces réalités difficiles, « nous croyons que Dieu est présent avec nous et cherche à transformer cette église en un lieu de vie en abondance. Par la foi, nous agissons dans cet esprit, en nous appuyant sur la grâce et la promesse de Dieu.»[119] L'évêque a élaboré un plan ambitieux de reconstruction de l'église dans une région profondément dévastée par une guerre injuste et un déplacement massif des gens suite aux effets de la guerre et à l'instabilité causée par les conflits armés récurrents. Il exhorte tous les méthodistes unis de l'Est du Congo à se lever afin de reconstruire l'œuvre missionnaire de l'Église méthodiste unie de l'Est du Congo.

En partenariat avec quelques conférences annuelles aux États-Unis, l'un des programmes qui cherchent à s'attaquer à l'un de ces problèmes est le programme *Congo Women Arise*. Ce programme est une initiative mise en place pour répondre aux besoins des victimes de viol et de violence sexuelle. Il cherche à fournir un abri aux femmes, y compris des logements de transition, tandis que l'église locale fournit un soutien physique, psychosocial et spirituel aux survivantes.[120] Cette initiative reflète la vision élargie de la mission et du ministre de l'église dans cette situation de violence et de traumatismes cycliques et récurrents. La sagesse acquise en faisant ce travail va certainement contribuer à un processus de guérison holistique qui s'attaque aux causes et aux sources de ces injustices historiques qui continuent à hanter le Congo dans son parcours.

CHAPITRE 5

LE LEADERSHIP ÉPISCOPAL

Les évêques missionnaires américains

A u début, le méthodisme au Congo était étroitement lié au travail de l'EME au Libéria, en Angola, en Rhodésie (aujourd'hui le Zimbabwe) et au Mozambique à travers une supervision épiscopale commune assurée par une succession d'évêques missionnaires américains de 1886 à 1964. Cependant, quand on commence avec le Libéria, on notera que l'EME envoyait les évêques et surintendants généraux des États-Unis en Afrique depuis 1858 jusqu'en 1964, quand deux africains furent élus et consacrés évêques : John Wesley Shungu pour le Congo et Escrivao Anglaze Zunguse pour le Mozambique.[121] L'année 1964 marque donc le début de l'élection d'africains comme évêques des conférences annuelles de l'Église méthodiste américaine en Afrique.[122] Les premiers évêques missionnaires américains qui étaient basés aux États-Unis ne pouvaient pas visiter la région régulièrement. C'est le cas de l'évêque William Taylor (1821-1902) qui était responsable des missions en Afrique de 1884 à 1896, et de l''évêque Joseph Hartzell (1842–1928) qui a servi de 1896 à 1916. Sans oublier l'évêque Eben Samuel Johnson de 1916 à 1936. La contribution de l'évêque Taylor est déjà abordée dans le premier chapitre de ce livre.[123] En ce qui concerne l'évêque Hartzell, il s'est rendu au Bas Congo en 1897 pour évaluer le travail commencé par les missionnaires de l'évêque Taylor. C'est durant cette visite qu'il décida de fermer les deux stations restantes jugées non viables. Il s'est rendu au Sud Congo en 1915, cinq ans après que les Springers eurent commencé les travaux de la mission dans cette région. Et c'est au cours de cette visite qu'il a organisé la mission du Congo comme partie de la Conférence de l'Angola jusqu'en 1917, année en laquelle l'évêque Eben Samuel Johnson (1866–1939) l'a réorganisée en tant que la *Congo Mission Conference*. L'évêque Hartzell consolida le travail en Angola et il posa les fondements des activités de la mission méthodiste au Zimbabwe en 1897. L'évêque Johnson vivait à Cape Town en Afrique du Sud parce qu'il avait d'autres régions d'Afrique à visiter qui étaient plus facilement accessibles par bateau ; il ne pouvait donc pas effectuer de visites annuelles au Congo.[124] Mais quand il n'était pas capable de visiter, c'est le surintendant de la mission qui présidait à la conférence annuelle si elle avait lieu. L'évêque Johnson a rempli la fonction d'évêque pour l'Afrique de 1916 à 1936.

Les travaux méthodistes au Congo central, de 1912 à 1939, étaient placés sous la supervision des évêques missionnaires de l'EMES: Walter Lambuth (1854–1921) a servi de 1914 à 1921, James Cannon (1864-1944) a servi de 1922 à 1935, et Arthur Moore (1888–1974) de 1935 à 1939. L'évêque Lambuth fut élu évêque de l'EMES pour le Brésil et l'Afrique en 1910. Il voyagea avec le linguiste John Wesley Gilbert en 1911 au Congo pour explorer l'implantation de la mission méthodiste au Congo central. Après avoir rencontré le Chef Wembo Nyama et accepté la concession où établir le poste de mission en mars 1912, Lambuth et Gilbert rentrèrent aux États-Unis pour recruter des missionnaires. Comme Eva Coates Hartzler observe, « L'évêque Lambuth a exploré, puis envoyé des missionnaires deux ans plus tard, mais il n'est pas revenu.»[125] L'évêque James Cannon a remplacé Walter Lambuth en 1922. Durant son mandat d'évêque au Congo central, James Cannon a dirigé la conférence annuelle de 1922 ainsi que celles de 1929 et 1930. Cannon a été remplacé par l'évêque Moore qui fut élu en 1935, mais il est venu présider la conférence annuelle du Congo central deux fois, en 1936 et 1939. Nous observons ici que les missions méthodistes du Sud Congo et Congo central n'ont pas tenu de conférences chaque année. Lorsque les évêques ne pouvaient pas venir, le surintendant de la mission dirigeait la conférence annuelle si elle avait lieu.

Après la fusion de l'EME et de l'EMES en 1939, leurs missions au Congo étaient devenues parties intégrantes de l'Église méthodiste sous la direction de l'évêque John Springer (1863-1963), élu évêque pour l'Afrique en 1936, fonction qu'il assumera jusqu'à son départ à la retraite en 1944. Springer fut le premier évêque à vivre au Congo, bien qu'il était responsable de toute l'Afrique. L'évêque Springer a eu une influence significative sur l'Église méthodiste au Sud Congo, à tel point que les méthodistes du sud du Congo ont été surnommés *Bashipiringa* ou *Bashipilinga*. Ce terme est venu représenter tous les protestants pendant longtemps dans cette partie du Congo, parce que l'Église méthodiste était la seule église protestante de grande envergure dans la région de Lubumbashi durant de longue années pendant l'époque coloniale.[126]

Newell S. Booth est élu évêque en 1944 et il sert jusqu'en 1964, date à laquelle le révérend John Wesley Shungu est élu premier évêque congolais pour l'ensemble du pays, c'est à dire des deux conférences annuelles : le Sud Congo et le Congo Central. L'évêque Booth, comme Springer, avait sa résidence à Elisabethville (Lubumbashi) au Congo, mais il avait la responsabilité de superviser le Congo, la Rhodésie du Sud, le Mozambique, et l'Angola.[127] En 1956, la région de l'Afrique fut divisée en deux, et pour la première fois, le Congo avait un évêque qui n'était responsable que du Congo. Avec l'élection du premier évêque congolais en 1964, l'évêque Booth a enfin été désigné évêque de la région de Harrisburg, en Pennsylvanie, aux États-Unis, et il a servi dans cette conférence jusqu'à sa mort en 1968.

L'évêque Booth, comme son prédécesseur pionnier Springer, a apporté des contributions importantes dans plusieurs domaines de mission au Congo et au-delà. Ses discours épiscopaux regorgent d'idées et de programmes qui montrent ses préoccupations fondamentales en tant que leader épiscopal. Il s'agit notamment de l'évangélisation, de l' éducation, des services médicaux, de l' agriculture, du travail industriel, et d'autres services sociaux.[128] En plus, depuis 1945, Booth est particulièrement apprécié pour insisté pour que les congolais accèdent à tous les postes de responsabilité administratifs et de leadership dans l'église, même si de nombreux missionnaires ne se sentaient pas prêts à laisser des rôles de leadership aux congolais.[129] Il a milité pour désigner des congolais comme surintendants de districts au Congo central et au Sud Congo. Par exemple, en 1956, cinq des six districts qui constituaient la Conférence du Congo central ont été placés sous la direction de surintendants Atetela.[130] La majorité des surintendants des six districts du Sud Congo étaient aussi

Congolais. En fait, ce qui m'a agréablement surpris davantage dans mes recherches sur la pensé et le travail de Booth c'est son analyse franche des relations raciales et des effets du colonialisme sur les peuples africains.[131] Dans son livre *The Cross Over Africa*, écrit en 1945, Booth décrit l'africain comme « un étranger dans sa propre terre.»[132] Critiquant le colonialisme occidental et sa saisie des terres, l'exploitation des ressources et la domination des africains, Booth affirme que le monde occidental a beaucoup détruit l'Afrique. Soulignant la nécessité d'une réparation, Booth déplore le fait que « des forces plus terribles ont été lancées sur l'âme de l'Afrique ». Il continue en disant :« nous pouvons soulager la détresse des affamés et guérir les blessures et les maladies [physiques], mais parfois je me demande si nous sommes capables de guérir la douleur de l'âme. Et nous, du monde occidental, nous avons lancé ces forces sur l'Afrique tout aussi définitivement que le bombardier a lâché la bombe sur son objectif.» Sa description des actions problématiques qui ont affecté les africains et leur ont causé des blessures de l'âme mérite d'être citée en détail:

Nous avons voulu l'or comme base de notre vie économique et comme ornement ; nous avons donc utilisé les Africains pour le déterrer de leur terre pour nous. Nous avons voulu des diamants ; nous avons donc enfermé les travailleurs africains sous un contrôle ignominieux pour faire émerger des diamants à partir de l'argile bleue de Kimberley et les extirper des grottes du Congo. Nous voulions que le caoutchouc nous protège dans les voyages et, dans le passé, nous avons choqué la conscience du monde par les méthodes utilisées avec les cueilleurs de caoutchouc africains dans les jungles. Nous cherchons des monopoles dans le cacao et nous sommes aveugles à l'égard des conditions de vie des travailleurs des plantations. Quand le Nouveau Monde appelait à la main d'œuvre dans ses champs et ses forêts, il a pris les Africains de leurs villages en gangs d'esclaves ; et maintenant, nous les sortons de ces mêmes villages pour travailler dans nos villes et nos mines, toujours sous contrôle, et ils travaillent toujours pour nous sans compensation appropriée. Nous avons voulu le pouvoir et l'expansion de notre empire, et donc la plus grande partie de l'Afrique a été enlevée à l'Africain jusqu'à ce qu'il soit devenu un étranger sur sa propre terre. Nous avons voulu justifier tout cela en collant des étiquettes aux africains, les traitant au mieux comme des enfants qui doivent avoir un tuteur, au pire comme des êtres inférieurs qui ont été créés uniquement pour servir leurs supérieurs.[133]

Être étranger sur sa propre terre ; les blessures de l'âme ; la douleur de l'âme, c'est ce que j'ai appelé le traumatisme colonial et postcolonial, qui sont les effets de la violence coloniale et postcoloniale récurrente au Congo.[134] Ces dynamiques intergénérationnelles continuent à se répliquer par ce que les blessures causées par les injustices historiques ne sont pas encore guéries. La violence coloniale et les injustices historiques récurrentes font partie de ce que l'évêque Booth considère comme les bombes qui ont été lâchées sur l'Afrique, et la souffrance de l'âme aussi bien que du corps qui émane de cette expérience est énorme. C'est cette souffrance qui rend l'Africain en général, et le Congolais en particulier, étranger sur sa propre terre.[135] Booth pose alors la question : « cette blessure peut-elle être guérie ? » Il invite donc les nations qui ont causé ce tort et qui profitent des ressources et de la souffrance de l'Afrique à accepter leur responsabilité envers l'Afrique et de faire tout le nécessaire pour guérir les blessures infligées à son âme. Cette prise de conscience de Booth reflète une franchise et une honnêteté qui interpellent encore l'Église au Congo à embrasser pleinement sa mission prophétique pour dénoncer les forces qui continuent à blesser, humilier et avilir la dignité humaine des congolais, dignité bafouée depuis l'époque coloniale et à travers les dictatures qui se sont succédées dans notre histoire tumultueuse. Ce que nous trouvons dans la pensée et le travail de l'évêque Booth, c'est donc cette invitation à clamer et pratiquer une foi qui puisse nous équiper de manière à ce que nous puissions nous libérer de ces dynamiques et progresser vers la création d'un avenir plus digne et plus libre.

Les évêques congolais

L'évêque Shungu était connu comme un leader charismatique et un grand organisateur qui voulait voir des résultats lorsqu'il visitait des districts et divers programmes de l'église, y compris ceux dirigés par des missionnaires. Mais son style de leadership autoritaire ou conflictuel, parmi d'autres facteurs, a entraîné sa chute après 8 ans de service. Il n'a pas été réélu. Shungu était en avance sur son temps en ce qui concerne ses tentatives de confronter les missionnaires qui avaient encore beaucoup de pouvoir dans les conférences annuelles africaines de ces années-là. Le mécontentement et les luttes de pouvoir de Shungu avec les missionnaires ont probablement commencé en 1952 quand il s'est rendu aux États-Unis en tant que premier délégué congolais de la conférence du Congo central à la Conférence générale. Alors qu'il était aux États-Unis, Shungu assistait à une conférence spéciale d'un missionnaire du Sud du Congo qui montrait des diapositives sur « les africains et leurs besoins. » Avant que la réunion ne prenne fin, « Shungu est sorti, protestant contre le fait que les missionnaires montraient toujours des photos peu flatteuses [des Africains] pour collecter des fonds aux États-Unis.» [136] Mais Shungu était largement apprécié au Congo comme un évêque qui connaissait les pasteurs qui servaient dans les conférences qu'il dirigeait. Il connaissait leurs noms et leurs situations.

En 1972, le révérend Onema Fama a été élu évêque en remplacement de Shungu. C'est à lui que l'on doit d'avoir introduit une vision audacieuse pour la formation de nouveaux cadres ou dirigeants dans les domaines critiques du travail de l'église : enseignement théologique, médecine, éducation, agriculture, aviation et autres domaines. Onema a également joué un rôle déterminant dans l'amorce de la pétition de 1992, réclamant la création d'une conférence centrale francophone. La Conférence générale de 1992 a approuvé la demande et la première session de la Conférence centrale du Congo a eu lieu en 1996 à Wembo Nyama.[137] En 1976, la région épiscopale du Sud-Congo a été créée et le révérend Ngoy Kimba Wakadilo (1935–1994) a été élu évêque pour cette conférence. Onema est resté évêque de la région épiscopale du Congo central jusqu'à sa retraite en 2005.

En 1980, la conférence du Sud Congo a été divisée en deux régions épiscopales : le Sud Congo et le Nord Katanga (ou à cette époque-là le Nord Shaba). Le révérend Kainda Katembo a été élu évêque du Sud Congo et le révérend Ngoy Kimba

Wakadilo est devenu le premier évêque du Nord-Katanga.
Leader doté d'une profonde humilité, l'évêque Ngoy a été largement apprécié par les méthodistes congolais comme étant un dirigeant et chrétien exemplaire, un pasteur et un *mulami wa bantu* (littéralement, gardien bienveillant du peuple). Ngoy a lancé plusieurs projets dans les domaines de la formation médicale, de l'enseignement supérieur, de l'évangélisation et de la construction. Il a également été le premier évêque méthodiste au Congo à ouvrir l'accès des femmes au ministère ordonné, lorsqu'il a ordonné la révérende Esperance Mutombo, qui devint alors la première femme ordonnée à la fonction d'ancienne dans le méthodisme congolais en 1979 pour le compte du Nord-Katanga. Quelques années plus tard, la révérende Jeanne Kabamba Kiboko sera la première femme ordonnée par l'évêque Kainda Katembo au Sud Congo en 1983 ; et la révérende Alua Kombe sera la première femme ordonnée au Congo central en 1982.[138] Quand l'évêque Ngoy meurt en 1994, l'évêque Katembo reste évêque par intérim du Nord-Katanga pendant deux ans. Un leader profondément réfléchi, l'évêque Katembo est connu pour ses innovations en liturgie et dans le culte, ainsi que pour son initiative visant à rendre la région épiscopale du Sud du Congo financièrement autonome, comme le montre la citation au début de ce travail. Cette initiative de Katembo a abouti à la construction de grands temples

de l'EMU à Kolwezi, Likasi et Lubumbashi avec des fonds entièrement collectionnés au Congo. L'évêque Katembo a pris sa retraite en 2016. En 1996, le révérend Ntambo Nkulu Ntanda a été élu évêque de la conférence du Nord-Katanga. L'évêque Ntambo était connu pour ses initiatives visant à répondre aux besoins des personnes déplacées par la guerre de 1997–2003; la création d'un orphelinat à Kamina pour encadrer les orphelins; la création de l'Université méthodiste de Kamina, qui initialement était l'extension de l'université Méthodiste du Katanga/Mulungwishi, mais est devenue indépendante avec sa propre accréditation. Il est important de noter ici que certains orphelins qui ont été encadrés par l'orphelinat de Kamina ont terminé l'école secondaire et certains sont même allés à l'université au Congo et/ou à l'Université Africa au Zimbabwe. L'évêque Ntambo a pris sa retraite en 2016.

En 2005, le révérend David Yemba a été élu évêque de la conférence du Congo central pour remplacer Onema Fama. L'évêque Yemba est un éducateur théologique qui a beaucoup d'expérience dans la formation théologique, un érudit et un œcuméniste qui a contribué énormément aux travaux de la Commission Foi et Constitution du Conseil œcuménique des églises et du Comité Foi et Constitution de l'Église méthodiste unie. En 2012, la conférence du Congo central a été divisée en deux régions épiscopales. Yemba est resté évêque pour la région épiscopale du Congo central, et Gabriel Y. Unda a été élu évêque de la nouvelle région épiscopale : la Conférence Est-Congo.[139] Yemba a pris sa retraite en 2016.

En 2016 la Conférence centrale du Congo de 2016 a élu les nouveaux évêques suivants : Révérend Mande Muyombo (Nord du Katanga), Révérend Kasap Owan (région du Sud Congo), Révérend Daniel Onashuyaka Lunge (Congo central), et Révérend Gabriel Y. Unda (région de l'Est-Congo, réélu à vie). Aujourd'hui, la Conférence centrale du Congo, autorisée en 1992 par la Conférence générale, est organisée en quatre régions épiscopales, avec quatorze conférences annuelles et des missions s'étendant aux neuf pays voisins. Les méthodistes unis du Congo comptent maintenant 3 081 590 membres en 2015. Les nouveaux dirigeants épiscopaux, les pasteurs et les laïcs sont déjà bien positionnés pour guider le méthodisme uni congolais vers une nouvelle phase de son ministère et de son service dans le monde. On recense déjà de nombreuses initiatives et de nombreux programmes en cours, matérialisant les grandes visions de ces dirigeants épiscopaux qui ajouteront à la dimension historique de l'héritage déjà très riche du méthodisme congolais.

Il faudra toutefois noter que le *Standing Committee on Central Conference Matters* de la Conférence générale de l'Église méthodiste unie a approuvé une législation en mars 2019 qui recommande de changer la carte ecclésiastique en Afrique. On va ajouter une nouvelle Conférence centrale en Afrique, et cela va faire passer le nombre de Conférences centrales à quatre. Le comité recommande aussi que la Congo Central Conference (la Conférence centrale du Congo) soit rebaptisée Conférence centrale de l'Afrique centrale. Cette Conférence centrale sera constituée de la République Centre Africaine, de la République Démocratique du Congo, de la République du Congo, de la Tanzanie et de la Zambie. Si cette législation est approuvée par la Conférence générale de 2020, elle entrera en vigueur immédiatement la même année.[140]

CHAPITRE 6

OBSERVATIONS FINALES :
REPENSER L'ÉVANGILE
AU CONGO

L e méthodisme uni congolais à un bilan impressionnant et inspirant de service au Congo. L'EMU n'a pas seulement un témoignage solide, mais elle a aussi développé une forte présence en dépit de difficultés énormes, étant donné les troubles politiques et la crise économique qui ont caractérisé la société congolaise depuis l'époque de l'indépendance en 1960. L'église a surtout été une source de réconfort dans les zones rurales où les infrastructures s'étaient effondrées : l'église est dans ces contextes le principal fournisseur de services sociaux tels que l'éducation, les soins de santé et d'autres services de base. Le méthodisme uni est une source d'espérance pour beaucoup de gens.

On peut dire ce qui suit sur les travaux de l'Église Méthodiste Unie au Congo. Tout d'abord, les premiers missionnaires méthodistes et leurs descendants ont utilisé une approche holistique à la mission de l'église. Ils n'ont pas seulement prêché l'évangile en paroles, mais aussi en actes par des œuvres éducatives, médicales, agricoles et évangélistes.[141] L'évangélisation, l'éducation, le travail médical et l'agriculture sont depuis le début des thèmes centraux des missions méthodistes unies au Congo. Dans ce sens, l'église méthodiste unie a un grand héritage à préserver et à transmettre à la postérité.

Deuxièmement, la mission méthodiste au Congo a joué un rôle important dans le cadre de l'éducation dès ses débuts. Même si de nombreux Congolais n'ont eu accès à l'enseignement supérieur que cinq ans environ avant l'indépendance en 1960, les missions méthodistes faisaient partie des quelques groupes de missions qui dispensaient la majeure partie de l'enseignement primaire et secondaire au Congo. Les écoles méthodistes ont joué un rôle important dans la formation non seulement des pasteurs et leaders religieux, mais aussi des futurs dirigeants politiques et civiques qui se sont battus pour l'indépendance. Des figures comme Patrice Lumumba, Jason Sendwe et Moise Tshombe ont étudié chez les méthodistes. On n'insistera jamais assez sur le rôle de l'église dans le développement des leaders. Troisièmement, l'esprit œcuménique a caractérisé les premiers travaux méthodistes, et ceci est aussi vrai aujourd'hui. Les méthodistes ont travaillé en collaboration avec d'autres groupes protestants afin de renforcer leur témoignage collectif et leur service dans un contexte colonial hostile aux efforts protestants et plus favorable aux initiatives catholiques dans les diverses entreprises religieuses et sociales.[142]

Quatrièmement, bien que les premiers missionnaires méthodistes aient enseigné un évangile holistique d'amour, il n'est pas difficile de trouver de langage raciste dans certains de leurs écrits. De nombreux missionnaires assimilaient la culture africaine au paganisme et à « l'obscurité.»[143] Les premiers missionnaires étaient des enfants de leur propre culture et de leur époque. Le racisme flagrant, la suprématie blanche et la supériorité occidentale qui se reflètent dans leur travail ne doivent pas être négligés ni édulcorés en raison des grandes réalisations de leurs efforts de mission. Ces questions sont des rappels, ou peut-être même des révélations, de la rupture ou fragmentation humaine et du péché qui continuent d'affliger nos relations raciales contemporaines dans l'église mondiale et sur l'ensemble de notre planète encore aujourd'hui. Ces questions soulignent la nécessité de rédemption et de réforme pour nos institutions religieuses et sociales, et pour nos relations

DÉVELOPPEMENT ET CROISSANCE

interculturelles, et constituent un appel à notre transformation personnelle par l'évangile de Jésus-Christ qui nous appelle à aimer vraiment notre prochain. Nous ne devons pas sous-estimer l'impact continu sur les relations raciales de ce que le philosophe congolais V.Y. Mudimbe a appelé la « bibliothèque coloniale » et l'Afrique inventée qu'elle représente. Certains missionnaires méthodistes ont été parmi les principaux contributeurs à la bibliothèque coloniale et à l'Afrique inventée que Mudimbe dénonce. Mudimbe appelle à la déconstruction d'une image si ternie de l'Afrique afin de créer des récits plus responsabilisant qui donnent un coup de pouce à notre estime de soi collective.[144] En effet, les missions contemporaines ne doivent pas continuer à nourrir la soif d'exotisme que l'on retrouve dans certains écrits missionnaires et dans certains cercles de l'église globale et dans la société occidentale, mais plutôt doter les gens de sensibilités et de compétences interculturelles qui donnent à nos églises, à nos leaders, et à nos communautés les moyens de mener des missions qui font la promotion de la dignité humaine, et qui font progresser le bien-être humain et l'épanouissement de tous dans un monde interconnecté.

Cinquièmement, l'Église doit pouvoir s'adapter à la nature changeante de la mission afin de comprendre l'appel de Dieu dans un monde en mutation. John Wesley Kurewa suggère que « la mission de Dieu, qui doit être comprise dans le contexte historique, ne peut jamais être perçue de la même manière à travers tous les âges. Parce que l'histoire change constamment, notre perception de la mission de Dieu doit aussi changer.» [145] En effet, même si l'EMU au Congo est une église engagée socialement, elle n'a pas suivi les changements qui se produisent dans le pays et n'a donc pas encore développé une voix prophétique claire, cohérente, et consistante pour traiter des questions d'importance publique telles que la violation flagrante des droits de l'homme, la destruction de l'environnement, la mauvaise gestion des ressources du pays et la violence politique de la part de ceux qui ont le pouvoir. Ces maux qui continuent à affliger le pays même depuis l'indépendance en 1960 doivent interpeller l'église et notre perception de la mission de l'église dans un contexte de violence politique récurrente. La tradition wesleyenne a de grandes ressources pour éclairer la pensée et l'action des méthodistes unis afin d'engager pleinement les luttes des Congolais ordinaires et de fournir une présence prophétique et véritablement transformatrice et un témoignage qui appelle à une nouvelle conscience et à une nouvelle société socialement juste.

La RDC a connu l'une des histoires coloniales les plus brutales et les plus regrettables de tous les pays du continent africain.[146] Les héritages du colonialisme continuent de se manifester par des conflits armés récurrents, la guerre, les dictatures successives soutenues par les puissances occidentales,

77

les violations flagrantes des droits de l'homme, la mauvaise gestion et l'appropriation illicite des ressources du pays par un petit groupe au pouvoir, l'écart croissant entre la minorité riche et la majorité pauvre, le chômage massif; les pratiques minières contraires à l'éthique, la dégradation de l'environnement, les lois injustes sur la propriété foncière, les déplacements massifs de personnes en raison de la guerre, les arrestations arbitraires de personnes qui résistent à l'injustice et à l'oppression, etc. La tendance à diriger le pays comme s'il s'agissait d'une propriété privée est également un problème récurrent depuis l'époque du Roi Léopold de Belgique, qui a revendiqué le pays comme propriétaire privé et l'a gouverné comme possession personnelle de 1870 à 1908, avant que la Belgique ne prenne le pays officiellement comme colonie belge. Le règne impitoyable de Léopold a été décrit comme le modèle par lequel les dirigeants congolais suivants ont gouverné depuis.[147] En ce sens, le peuple congolais subit l'oppression et l'injustice depuis longtemps. Et la situation est particulièrement tragique dans la mesure où la République démocratique du Congo est embourbée dans la spirale de la violence politique depuis son indépendance en 1960, avec de brèves périodes de paix relative entrecoupées tout au long de son histoire tumultueuse.[148]

Forte de son héritage riche dans l'annonce d'un évangile holistique soucieux du bien-être intégral des gens, l'église peut faire des contributions énormes vers un futur radieux pour le Congo. Les blessures du Congo sont profondes et étendues. Elles sont anciennes et modernes, passées et présentes. L'histoire douloureuse du Congo est celle d'un cauchemar récurrent bien connu dans d'autres régions d'Afrique et du monde. Fort malheureusement, il y a une certaine indifférence générale face aux souffrances du Congo, souffrances que les congolais subissent au su et au vu de tous. Ces terribles blessures doivent être guéries si nous voulons réellement tailler un avenir meilleur qui promeut et sauvegarde la dignité du peuple congolais.

L'église méthodiste a fait des contributions énormes dans la mise en œuvre de certains programmes sociaux qui traitent des questions d'éducation et de santé, en particulier dans les zones rurales où l'accès à ces services est difficile. En ce sens, l'EMU est dans beaucoup de cas un don pour les marginaux et les pauvres. Toutefois, il est nécessaire de faire entendre une voix prophétique solide et cohérente qui critique les abus de pouvoir et les violations flagrantes des droits humains, et qui exprime sans équivoque la nécessité de défendre la dignité humaine du peuple congolais qui souffre depuis trop longtemps inutilement. Le problème n'est pas le manque d'engagement social de l'Église, mais plutôt le besoin urgent d'un type d'engagement social qui remet en cause les injustices historiques récurrentes qui causent et pérennisent les terribles souffrances du peuple congolais et portent atteinte à sa dignité et à sa valeur de personnes créées à l'image de Dieu. Mais ce type d'engagement social exige le développement d'une *conscience dé-coloniale*, c'est-à-dire une conscience critique qui résiste aux effets de l'héritage colonial et de la violence politique qui en résulte, et qui continue d'entraver la libération humaine et le bien-être social du peuple congolais. Comme le suggère le théologien camerounais Jean-Marc Ela, nous devons repenser la foi en prenant en compte le poids de notre histoire douloureuse.[149] En effet, l'église doit hardiment embrasser et promouvoir la recherche de la dignité humaine et de la justice sociale comme élément central de son travail pastoral et de son témoignage social.[150] Il faut réclamer la forme du méthodisme qui considère le salut de Dieu comme englobant les personnes, les communautés, la société et la terre entière. Le véritable piétisme wesleyen est le rassemblement des dimensions personnelles, sociales et cosmiques de la sanctification.[151] Peut-être c'est à ceci que Charles Wesley se referait quand il chantait le *grand salut*. Recréer une telle compréhension du salut stimulerait les efforts et stimulerait l'imagination pour travailler non seulement pour la transformation des vies individuelles, mais aussi pour la réforme des structures et des institutions sociales injustes, non pas nécessairement pour les rendre chrétiennes, mais justes et favorables à la dignité et à l'intégrité humaines. Le méthodisme a un héritage très riche qui peut guider ces efforts vers une société juste.[152]

Nous terminons donc avec l'appel à annoncer l'évangile holistique qui fait partie de l'héritage méthodiste congolais. Les paroles citées ci-après du cantique méthodiste qui est devenu populaire parmi les méthodistes Swahiliphones au Congo constituent une prière ardente pour un ministère efficace qui donne victoire à la *grande œuvre* restauratrice de Dieu dans le monde. Nous nous référons aux paroles des couplets 2 et 3 avec gratitude à l'endroit de l'évêque Katembo Kainda qui en est l'artisan, et aux membres de la Chorale Nuru de la Rwashi à Lubumbashi, qui en ont composé la mélodie:

2. Mungu saidia kanisa Méthodiste kutangaza neno,
   Leta nguvu yako Bwana kufanya mataifa
   Wanafunzi wa kweli wa kukusifu daima.
   Kanisa ambamo tutaendelea kukwabudu,
   Kanisa Méthodiste la Bwana tunalolipenda. (Swahili)[153]
   Traduction en Français :
   [O Dieu aide l'Église méthodiste à prêcher la parole,
   Donne-nous ta force Seigneur pour faire des nations
   De vrais disciples qui vont t'adorer/t'honorer à jamais.
   Une Église dans laquelle nous allons continuer à

t'adorer. L'Eglise méthodiste du Seigneur que nous aimons.]

3. Roho wako Bwana, awatawale viongozi vya kanisa ;
   Ubariki Maaskofu, wa Surintendants wote,
   Na wa Pastori wote wa kanisa Méthodiste.
   Shusha Roho Ndambilifu kukazisha viongozi;
   Kazi zako kubwa zitapata ushindi wa kweli. Amen

Traduction en Français:

[Que ton Esprit Seigneur, remplisse les dirigeants de l'Église; Bénis les évêques, et tous les surintendants, Et tous les pasteurs de l'Église méthodiste. Fais descendre ton Saint Esprit pour fortifier les dirigeants; Que ta grande œuvre puisse trouver la vraie victoire.] Amen.

BIBLIOGRAPHIE CHOISIE

Adeney, Miriam. "Recasting Evangelization: Why Cultures Matter," *International Journal of Frontier Missiology*, 32:2, Summer 2015.

Barclay, Wade Crawford. *The Methodist Episcopal Church 1845-1939: Widening the Horizons. History of Methodist Missions*, Volume 3. New York: Board of Missions of The Methodist Church, 1957.

Benedeto, Robert, ed. *Presbyterian Reformers in Central Africa: A Documentary Account of the American Presbyterian Mission and the Human Rights Struggle in the Congo, 1890–1918*. Leiden: Brill, 2016.

Booth, Newell S. *The Cross Over Africa* (New York: Friendship Press, 1945), 124–140.

Bundy David. "Pauline Missions: The Wesleyan Holiness Vision," dans *The Global Impact of the Wesleyan Traditions and their Related Movements*, ed. Charles Yrigoyen, Jr. Lanham, Maryland and London: The Scarecrow Press, 2002.

Coates Hartzler, Eva. *Brief History of Methodist Missionary Work in the Southern Congo during the First Fifty Years*. Elisabethville: Methodist Church of Southern Congo, 1960.

_____. "The Methodist Church in the Congo," in *Congo Profile 1965*, ed. Joseph M. Davis and L. Earl Griswold. World Division of the Board of Missions: The Methodist Church, 1965.

Coulson, Gail V. "The United Methodist Church in Tanzania: An African Mission for an African Church," *New World Outlook*. March/April 2012.

Cracknell, Kenneth and Susan J. White, *An Introduction to World Methodism*. New York: Cambridge University Press, 2005.

Dodge, Ralph. *The Unpopular Missionary*. Westwood, New Jersey, 1964.

Gordon, David. "Wearing Cloth, Wielding Guns: Consumption, Trade, and Politics in the South Central African Interior during the Nineteenth Century," in *The Objects of Life in Central Africa*, ed. Robert Ross et al. Boston: Brill, 2013.

Hartzler, Omar L. *Sold for a Dollar: The Story of Coleman Clark Hartzler and Lucinda Lee Padrick*, Volumes 1 & 2. Claremont, California, 1993.

_____. "The Founding of the Institut Supérieur Pédagogique Méthodiste-Uni du Nord Shaba," July 20, 1987.

_____. "Memorandum on the North Katanga annual Conference of The United Methodist Church," inédit, 1970.

Hoover, J. Jeffrey. "Big Men," Wealth, in People, and Religious Change: Methodism in the Rural Katanga Copperbelt," inédit.

Hoover, Jeffrey. « Les Origines de l'Eglise Méthodiste-Unie au Congo, 1886–1944, » in *L'Eglise Méthodiste-Unie au Katanga à 100 Ans: Hier,Aujourd'hui, Demain*, eds. J. Jeffrey Hoover, Leonard Kabwita Kayombo, Jean-Marie Nkonge (Mulungwishi, Congo: Presses de l'Université Méthodiste au Katanga, 2010.

Ilunga, David Kumwimba., "Outline History of the United Methodist Church in the North Shaba, 1917–1970." Discours inédit/ Unpublished speech translated from Swahili by Omar Lee Hartzler, 1970.

Jacobs, Sylvia. Black *Americans and the Missionary Movement in Africa.* Westport: Greenwood Press, 1982. Kabongo-Mbaya, Philippe B. *L'Eglise du Christ au Zaire: Formation et Adaptation d'un Protestantisme en situation de dictature.* Paris : Editions Karthala, 1992.

Kabwita Kayombo Tshikomo, Leonard. « Historique et Développement de l'Église Méthodiste-Unie en Zambie », Recherches préparées et partagées sur la demande de l'auteur, Juillet 2019.

Katembo Kainda, "La Prise en Charge de l'Église Méthodiste-Unie au Sud-Congo par Ses Fidèles: Stratégies et Perspectives d'Avenir," in *L'Eglise Méthodiste-Unie au Katanga à 100 Ans: Hier, Aujourd'hui, Demain*, eds. J. Jeffrey Hoover, Leonard Kabwita Kayombo, Jean-Marie Nkonge (Mulungwishi, Congo: Presses de l'Université Méthodiste au Katanga, 2010.

_____. *L'Elévation divine : Autobiographie de Mgr Katembo Kainda.* Likasi : Faculté Méthodiste de Théologie, Mulungwishi, 2005.

Kasongo, Michel. *History of the Methodist Church in the Central Congo.* Lanham, Maryland: University Press of America, 1998.

Kim, Young Seon (Christina). "Next Generation Ministries in Tanzania," *New World Outlook* January/February 2016.

Kurewa, John Wesley. *The Church in Mission: A Short History of The United Methodist Church In Zimbabwe, 1897-1997*. Nashville: Abingdon Press, 1997.

Le Livre de Discipline de l'Eglise Méthodiste Unie: Edition de la Conférence Centrale de l'Afrique. Nashville: The United Methodist Publishing House, 1990.

Lovell, Bill. *100thAnniversary of the United Methodist Church in Central Congo, 1912-2014: A Pictorial Resource* at https://www.scribd.com/doc/155215510/100th-Anniversary-of-the-Methodist-Church-in-Central-Congo-1912-present; Consulté le 15 février 2018.

Maxwell, David. "Freed Slaves, Missionaries, and Respectability: The Expansion of the Christian Frontier from Angola to Belgian Congo," *Journal of African History*, 54 (2013).

Mpingwe, Muleka. « La communauté méthodiste-unie au Nord-Shaba : Une analyse de 22 ans d'existence.» Mémoire de Licence, Faculté Méthodiste de Théologie, Mulungwishi, Août 1992.

Mpoyo Kilumba, « Histoire du début de la pénétration de l'église méthodiste unie au Nord Katanga » (Commission de l'Histoire de l'Eglise Méthodiste au Nord Katanga, Juin 2018.

Mudimbe, V. Y. *The Invention of Africa: Gnosis, Philosophy, and the Order of Knowledge*. Indianapolis: Indiana University Press, 1988.

Munayi Muntu-Monji, *Les Vingt-Cinq Ans de la Faculté de Théologie Protestante au Zaïre 1959–1984*. Kinshasa: Faculté de Théologie Protestante, 1984.

Ndaywel è Nziem, Isidore. *Nouvelle histoire du Congo : Des origines à la république démocratique du Congo* (Bruxelles, Belgique ; Kinshasa, Congo, 2009.

Nyengele, M. Fulgence. "Healing Postcolonial Trauma in the African Experience: The Case of DR Congo," in *Pastoral Care, Health, Healing, and Wholeness in African Contexts*, eds. Tapiwa Mucherera and Emmanuel Lartey. Eugene, OR: Wpf & Stcok, 2017.

_____. "African Spirituality and the Wesleyan Spirit: Implications for Spiritual Formation in a Multicultural Church and Culturally Pluralistic World," sur https://oimts.files.wordpress.com/2013/10/2013-4-nyengele.pdf.

_____. *African Women's Theology, Gender Relation and Family Systems Theory : Pastoral Theological Considerations and Guidelines for Care and Counseling* New York : Peter Lang, 2004.

_____. "*Ubuntu*, Wesleyan Social Holiness, and the Quest for Human Dignity in Contexts of Political Violence," Papier présenté à la Conférence du bicentenaire célébrant 200 ans de Mission du Conseil de ministères globaux de l'Eglise méthodiste unie, Atlanta, Georgia, Avril 2019.

Ngoy Nyengele, André Mbuyu Myanda. Historique ecclésiastique du Révérend Pasteur Ngoy Nyengele Mbuyu Myanda André de l'Eglise Méthodiste-Unie de 1964 jusqu'à 2017. Juillet 2018 (Swahili).

Reid, Alexander J. *Congo Drumbeat: History of the First Half Century in the Establishment of the Methodist Church Among the Atetela of Central Congo*. New York: World Outlook Press, 1964.

Runyon, Theodore. *The New Creation: John Wesley's Theology Today*. Nashville: Abingdon Press, 1998.

Scott, David W. "The Bicentennial of Methodist Mission, 1819-2019," *New World Outlook: The Mission Magazine of the United Methodist Church*. Fall 2018.

Seventy-Ninth Annual Report of the Missionary Society of the Methodist Episcopal Church for the Year 1897, New York, 1898.

Springer, John M. *The Heart of Central Africa*. New York: Methodist Book Concern, 1909.

_____. *Pioneering in the Congo*. New York: Methodist Book Concern, 1916.

_____. *Christian Conquest in the Congo*. New York: Methodist Book Concern, 1927.

_____. *I Love the Trail: A Sketch of the Life of Helen Emily Springer*. Nashville and Elisabethville: Congo Book Concern, 1952.

Unda, Gabriel Yemba. "The United Methodist Mission in Eastern Congo," *New World Outlook*, November/December 2014.

Yrigoyen Charles, Jr., ed. *T&T Clark Companion to Methodism*. New York: T&T Clark International, 2011.

NOTES

1 Ces gens ne connaissent pas l'Eglise Méthodiste.

2 Ces gens connaissent bien l'Eglise Méthodiste. Ils sont des vrais méthodistes.

3 Voir Omar L. Hartzler, *Sold for a Dollar: The Story of Coleman Clark Hartzler and Lucinda Lee Padrick*, Volumes 1 & 2 (Claremont, California, 1993).

4 Katembo Kainda, "La Prise en Charge de l'Eglise Méthodiste-Unie au Sud-Congo par Ses Fidèles: Stratégies et Perspectives d'Avenir," in *L'Eglise Méthodiste-Unie au Katanga à 100 Ans: Hier, Aujourd'hui, Demain*, eds. J. Jeffrey Hoover, Leonard Kabwita Kayombo, Jean-Marie Nkonge (Mulungwishi, Congo: Presses de l'Université Méthodiste au Katanga, 2010), 227.

5 Voir John M. Springer, *I Love the Trail: A Sketch of the Life of Helen Emily Springer* (Nashville and Elisabethville: Congo Book Concern, 1952), 73–74. Kimbulu a été capturé en tant qu'esclave lors d'un raid arabe contre l'esclavage quand il était enfant. Il a été libéré après de nombreuses années, puis il est venu à Wembo Nyama pour travailler dans la charpenterie; et John Springer, *Christian Conquest in the Congo* (New York: Methodist Book Concern, 1927), 23–24;

6   David Maxwell, "Freed Slaves, Missionaries, and Respectability: The Expansion of the Christian Frontier from Angola to Belgian Congo," *Journal of African History*, 54 (2013), 79–102.

7   On the economic exploitation of slaves in the 1800s in Luba and Lunda territories see David Gordon, "Wearing Cloth, Wielding Guns: Consumption, Trade, and Politics in the South Central African Interior during the Nineteenth Century," in *The Objects of Life in Central Africa*, ed. Robert Ross et al (Boston: Brill, 2013), 22–24.

8   Janice Love, "Is United Methodism a World Church?" in *Questions for the Twenty-First Century Church*, ed. Russell Richey, William B. Lawrence, Dennis M. Campbell (Nashville: Abingdon Press, 1999), 260–65.

9   La EMEA, communément appelée AME aux Etats-Unis et dans le monde anglophone, est une dénomination formée en réaction à la question de l'esclavage et aux discriminations raciales vécues dans l'Eglise Méthodiste Épiscopale en Amérique du Nord par les esclaves noirs africains.

10 *Le Livre de Discipline de l'Eglise Méthodiste Unie: Edition de la Conférence Centrale de l'Afrique* (Nashville: The United Methodist Publishing House, 1990), p. viii. Cette édition était traduite de l'anglais par Christine Oesch et revue par Omar Lee Hartzler avec l'assistance de Mohammadu Mansour,

étudiant sénégalais de California Polytechnique University de Pomona, Californie. Christine Oesch fut ancienne missionnaire au Nord Katanga à la fin des années 1980 et début des années 1990. Omar Lee Hartzler fut ancien missionnaire au Sud Congo et plus tard au Nord Katanga. Nous dirons plus sur Hartzler plus tard dans d'autres chapitres.

11 Les méthodistes britanniques avaient créé leur société missionnaire appelée la British Wesleyan Methodist Missionary Society en 1818. Il est peut-être important de souligner ici que dans certaines parties de l'Afrique les laïcs méthodistes étaient déjà actifs dans le travail d'évangélisation avant que les sociétés missionnaires soient formées et aient commencé à envoyer officiellement des missionnaires.

12 Il faudra toutefois noter que la première personne à être nommée missionnaire de la Société Missionnaire de l'Eglise Méthodiste Épiscopale était John Stewart, un métis d'héritages noir américain, indien, et blanc. Stewart avait entrepris sur sa propre initiative la mission d'évangéliser les autochtones amérindiens ou natifs américains Wyandot (ou Wyandotte) de Ohio en 1816. Son travail conduit beaucoup des Wyandottes à se convertir au méthodisme. Et c'était la première fois qu'un groupe des natifs amérindiens s'était converti au méthodisme en si grands nombres. Son ministère avait établi une base sur laquelle les efforts missionnaires de

l'Eglise Méthodiste Épiscopale s'étaient inspirés à la fois aux Etats-Unis et à l'étranger. Selon David W. Scott, c'est le travail de Stewart qui donna aux leaders méthodistes l'espoir que le méthodisme semblait avoir quelque chose importante à offrir à d'autres groupes au-delà des limites du territoire américain. Alors la Société Missionnaire fut créée le 4 avril 1819 dans la ville de New York pour supporter le travail missionnaire de John Stewart parmi les natifs Wyandotte de Ohio. C'est en 1820 que la Conférence Générale affirmera cette Société Missionnaire comme une société missionnaire à l'échelle de toute la dénomination pour les méthodistes aux Etats-Unis. Voir David W. Scott, "The Bicentennial of Methodist Mission, 1819-2019," *New World Outlook: The Mission Magazine of the United Methodist Church* (Fall 2018), p.6. En 1835 les efforts missionnaires avaient commencé en Amérique du Sud; en 1847 en Chine; et en 1849 en Europe. Ce qui avait commencé comme une vision locale était graduellement élargie pour atteindre tous les continents. Aujourd'hui le méthodisme a une présence globale.

13   Nous devons noter ici que le méthodisme britannique s'était implanté dans certaines parties de l'Afrique bien avant les efforts du méthodisme américain. Les méthodistes britanniques avaient envoyé des missionnaires au Sierra Leone en 1811; ils avaient atteint l'Afrique du Sud en 1816 ; le

Ghana en 1831 ; le Nigeria en 1842 ; le Togo en 1843 ; et le Kenya en 1862. Voir John Wesley Kurewa, « Methodism in Africa, » dans *T&T Clark Companion to Methodism*, ed. Charles Yrigoyen, Jr., (T&T Clark, London & New York, 2011), 133–151.

14   L'une des raisons majeures pour les appels de Livingston aux églises protestantes d'envoyer les missionnaires était de combattre l'expansion « agressive » de l'Islam au centre et au sud de l'Afrique. La littérature missionnaire de cette époque regorge des commentaires sur l'urgence du travail d'évangélisation pour contrer la propagation de l'Islam vers le centre et sud de l'Afrique. Voir *Seventy-Ninth Annual Report of the Missionary Society of the Methodist Episcopal Church for the Year 1897*, New York, 1898, 26–29.

15   L'un des premiers missionnaires de Taylor au Congo, Helen Rasmussen Springer, était parmi les premiers missionnaires au Zimbabwe.

16   David Bundy, "Pauline Missions: The Wesleyan Holiness Vision," dans *The Global Impact of the Wesleyan Traditions and their Related Movements*, ed. Charles Yrigoyen, Jr. (Lanham, Maryland and London: The Scarecrow Press, 2002), 13–26.

17   Bundy, "Pauline Missions," 17.

18   Bundy, "Pauline Missions," 17; my traduction.

19   Kenneth Cracknell and Susan J. White, *An Introduction to World Methodism* (New York: Cambridge University Press, 2005), 73–74. Voir aussi Kenneth Cracknell, "The Spread of Wesleyan Methodism," dans *The Cambridge Companion to John Wesley*, ed. Randy L. Maddox et Jason E. Vickers (Cambridge and New York: Cambridge University Press, 2010), 24–25.

20   Bundy, "Pauline Missions," 19.

21   Newell S. Booth, *The Cross over Africa* (New York: Friendship Press, 1945), 67; ma traduction.

22   Nous pouvons noter ici que presque pendant cette même période un missionnaire catholique du nom de Placide Tempels (1906–1977) avait écrit un livre qui reconnaissait que les peuples africains avaient une culture riche, des valeurs morales claires, des principes éthiques pour guider le comportement humain, et une vision du monde religieuse bien établie. Il avait fait valoir que les africains avaient une philosophie. Voir Placide Tempels, *La Philosophie Bantoue* (Présence Africaine, 1945). Il y a maintenant beaucoup des travaux par les chercheurs et spécialistes congolais sur les cultures et religions traditionnelles africaines en relation avec le christianisme. Mais la plupart sont des chercheurs catholiques. L'école de Kinshasa, comme certains l'appellent, connait les noms éminents tels que Vincent Mulago ; Oscar Bimwenyi Kweshi ; Ngindu Mushete ; Tshamalenga Ntumba ;

NOTES

Bénézet Bujo ; etc. Peut-être Mutombo Nkulu-N'sengah peut aussi être situé dans cette tradition. Le Centre d'Etudes des Religions Africaines (CERA) de l'Université catholique du Congo à Kinshasa publie *Les Cahiers des Religions Africaines*, un journal académique très riche sur les thèmes divers relatifs aux cultures et religions traditionnelles africaines et à la théologie africaine.

23   Je suggère dans certains de mes travaux que pour que le Christianisme soit profondément enraciné sur le continent africain, il y a besoin de payer une grande attention pastorale et théologique à l'importance des Religions Traditionnelles Africaines (RTA) dans leurs diverses expressions culturelles comme une force qui continue d'influencer la spiritualité, les valeurs, et vision du monde des peuples africains. Identifier les thèmes majeurs dans les RTA et explorer leur affinité avec le Christianisme peut être une façon d'approfondir le témoignage chrétien et de parfaire les compétences pastorales pour travailler d'une manière efficace avec les africains dans leurs contextes divers. Voir M. Fulgence Nyengele, "African Spirituality and the Wesleyan Spirit: Implications for Spiritual Formation in a Multicultural Church and Culturally Pluralistic World," sur https://oimts.files.wordpress. com/2013/10/2013-4-nyengele.pdf.

24   Miriam Adeney, "Recasting Evangelization: Why Cultures

Matter," *International Journal of Frontier Missiology*, 32:2 (Summer 2015), 96.

25 Adeney, "Recasting Evangelization: Why Cultures Matter," 96.

26 Charles Yrigoyen, Jr., ed. *T&T Clark Companion to Methodism* (New York: T&T Clark International, 2011), 494.

27 Eva Coates Hartzler, "The Methodist Church in the Congo," in *Congo Profile 1965, ed.* Joseph M. Davis and L. Earl Griswold (World Division of the Board of Missions: The Methodist Church, 1965), 122.

28 Coates Hartzler, "The Methodist Church," 122.

29 John Wesley Z. Kurewa, citant Frederick Perry Noble, The *Redemption of Africa* (n.p., 1899), écrit que William Taylor a établi onze postes de mission en 1886 et il a recruté cinquante-huit missionnaires pour l'oeuvre. De tous ces missionnaires, seulement cinq s'engageaient encore dans le ministère en 1896. Voir Kurewa, « Methodism in Africa, » in *T&T Clark Companion to Methodism*, ed. Yrigoyen, Jr., 143.

30 Eva Coates Hartzler, *Brief History of Methodist Missionary Work in the Southern Congo during the First Fifty Years* (Elisabethville: Methodist Church of Southern Congo, 1960), 6.

31 Coates Hartzler, *Brief History*, 6.

32 Kenneth Cracknell and Susan White, *An Introduction to World Methodism*, 72.

33 Cracknell et White, *An Introduction*, 73.

34 Comparez cela à la description faite par Springer du climat dans le sud du Congo et le sud de la Rhodésie : « [L'élévation dans] une grande partie des deux Rhodésies et du Sud du Congo est à 1 000 pieds ou plus au-dessus du niveau de la mer. C'est donc une circonstance heureuse que nos missionnaires dans ces régions, ainsi qu'à l'intérieur de l'Angola, vivent et travaillent dans l'un des climats les plus salubres du monde. » Springer, *I Love the Trail*, 32.

35 Seventy-Ninth Annual Report of the Missionary Society of the Methodist Episcopal Church for the Year 1897, 36; ma traduction.

36 Coates Hartzler, "The Methodist Church," 122.

37 John Springer, *The Heart of Central Africa* (New York: Methodist Book Concern, 1909), 214.

38 Jeffrey Hoover, "Les Origines de l'Eglise Méthodiste-Unie au Congo, 1886–1944," *L'Eglise Méthodiste-Unie au Katanga*, ed. Hoover et al., 4, 6, & 9.

39 Hoover, « Les Origines de l'Eglise Méthodiste-Unie au Congo, 1886–1944, » 7.

40 Le CPC a une longue histoire au Congo. Créé en 1924 comme Conseil Protestant au Congo, il avait commencé comme une association des missionnaires protestants appelée La Conférence des Missions Protestantes du Congo (CMC).

La première réunion de la CMC avait eu lieu à Léopoldville (maintenant Kinshasa) en 1902. La CMC devient le Conseil Chrétien du Congo (CCC) en 1922 ; et puis il va devenir le Conseil Général du Congo (CGC). C'est en 1924 que cette organisation prend le nom de Conseil Protestant du Congo (CPC). On adopta la Constitution du CPC en 1929 avec le but d'harmoniser le travail évangélique et consolider l'unité des chrétiens protestants, dans un contexte colonial belge hostile aux protestants et très favorable aux catholiques. Le CPC obtient sa personnalité civile en 1941, et toutes les missions deviennent des « Sections » du CPC. Plus tard on les appellera des Communautés quand en 1970 il y aura la concrétisation de l'unité juridique et institution-nelle de l'Eglise du Christ au Congo, basée sur la nouvelle Constitution adoptée en 1969. Les méthodistes étaient des participants actifs dans ce mouvement oecuménique. C'est ainsi que, quand il fut décidé de confier la direction de cette organisation aux congolais en 1960, les méthodistes furent parmi les premiers leaders congolais de cette orga-nisation. En fait, Joël Bulaya, pasteur méthodiste à Kolwezi, fut élu président. Son vice-président, Daniel Mawanda, était de la Svenska Missions Förbundet (SMF). Pierre Shaumba Wembo, pasteur méthodiste du Congo central, était élu secrétaire général. Voir Philippe B. Kabongo-Mbaya,

L'Eglise du Christ au Zaire: Formation et Adaptation d'un Protestantisme en situation de dictature (Paris : Editions Karthala, 1992), 16–19, 85.

41 Springer, *I Love the Trail*, 28–29.

42 Springer, *I Love the Trail*, 31.

43 Pour plus de details, voir Springer, *The Heart of Central Africa*.

44 Coates Hartzler, "The Methodist Church," 125.

45 Quand les Springers étaient en vacances, le pays changea de nom de l'Etat Indépendant au Congo Belge et devint donc une colonie belge. Ce changement était en grande partie dû à la pression internationale dénonçant les atrocités commises par l'administration coloniale du roi Léopold II. Pour plus de détails sur les atrocités et leurs effets traumatisants collectifs sur le peuple congolais, voir M. Fulgence Nyengele, "Healing Postcolonial Trauma in the African Experience: The Case of DR Congo," in *Pastoral Care, Health, Healing, and Wholeness in African Contexts*, eds. Tapiwa Mucherera and Emmanuel Lartey (Eugene, OR: Wpf & Stcok, 2017), 76–98.

46 Coates Hartzler, "The Methodist Church," 125.

47 Kongolo Chijika, "Education Théologique," in *L'Eglise Méthodiste-Unie au Katanga*, ed. Hoover et al, 129–150.

48 Hoover, "Les Origines de l'Eglise Méthodiste-Unie," 12.

49 J. Jeffrey Hoover, "Big Men," Wealth, in People, and Religious

Change: Methodism in the Rural Katanga Copperbelt," 4, papier inédit partagé avec l'auteur, Avril 2019.

50 Coates Hartzler, "The Methodist Church," 125.

51 Katwebe Mwenze Mutumbe, Abraham. "La Mission Méthodiste au Shaba: Facteur d'Emancipation Religieuse et Socio-Culturelle" PhD thesis, Faculté Universitaire de Théologie Protestante, Bruxelles, 1986, 109; Cited in Hoover, "Les Origines de l'Eglise Méthodiste-Unie," 14.

52 Hoover, "Big Men," 5.

53 Springer, *I Love the Trail*, 154.

54 Springer, I Love the Trail, 154.

55 Hoover, "Big Men," 11.

56 Springer, *I Love the Trail*, 95.

57 Coates Hartzler, "The Methodist Church," 127.

58 Voir Omar Hartzler, *Sold for a Dollar: The Story of Coleman Clark Hartzler and Lucinda Lee Padrick*, Volumes 1 & 2 (Claremont, CA, 1993), chapitre 13, 8.

59 Hoover, "Les Origines de l'Eglise Méthodiste-Unie," 21–22; see also Omar Hartzler, *Sold for a Dollar: The Story of Coleman Clark Hartzler and Lucinda Lee Padrick*, Volumes 1 & 2, (Unpublished; Claremont, 1993), Chapter 13, 8. Available at the Methodist Archives at Drew University.

60 Les activités minières à Kambove étant transférées à

Panda (Likasi), les Springers ont suivi la population et établi une station à Likasi. See Coates Hartzler, *Brief History*, 27–30.

61 Leonard Kabwita Kayombo Tshikomo, « Historique et Développement de l'Eglise Méthodiste-Unie en Zambie », Recherches préparées et partagées avec l'auteur, Juillet 2019. L'auteur est profondément redevable au Dr. Kabwita pour ses recherches sur le développement de l'église méthodiste unie en Zambie. Cette section est largement ressourcée par son travail et notre propre recherche.

62 Kabwita, "Historique et Développement," 1–2.

63 Kabwita, "Historique et Développement," 2–3.

64 Voir Mwape Kapemba, « La prise en charge de l'Eglise méthodiste unie dans le copperbelt et Northern Provinces par ses fidèles : De la mission a l'autonomie financière », Mémoire de Maitrise en leadership, Université Méthodiste au Katanga, Mulungwishi, Juillet, 2016, 7–11.

65 Katembo Kainda, « Discours Bilan, 17 Juillet 2016, » Lubumbashi, cité par Kabwita Kayombo, « Historique et Développement, » 3.

66 Kabwita, « Historique et Développement, » 4.

67 Dès le début de l'entreprise coloniale au Congo, le Roi Léopold a cherché activement à obtenir une majorité belge

parmi les diverses congrégations religieuses catholiques qui ont servi dans le pays.

68   Richard M. Kendall, "The Development of the Roman Catholic Church in the Congo," in *Congo Profile*, 101.

69   Hoover, "Les Origines de l'Eglise Méthodiste-Unie," 32.

70   Pour un contexte plus large pour comprendre l'ironie de ces dynamiques, voir Hoover, "Les Origines de l'Eglise Méthodiste-Unie," 31–33.

71   Voir Kabongo-Mbaya, *L'Eglise du Christ au Zaïre*, 16–19, 46–80.

72   David Kumwimba Ilunga, "Outline History of the United Methodist Church in the North Shaba, 1917-1970," (discours inédit traduit du Swahili en Anglais par Omar Lee Hartzler, 1970), p.1.

73   Par exemple, à l'exception de l'évêque John Wesley Shungu qui avait étudié à Old Umtali en Rhodésie du Sud (Zimbabwe), les évêques Onema Fama, Ngoy Kimba Wakadilo, Katembo Kainda Ntambo Nkulu Ntanda, et Gabriel Y. Unda ont reçu leur éducation théologique de base à Mulungwishi. Parmi les évêques élus en 2016, l'évêque Kasap Owan avait aussi reçu sa formation théologique de base à Mulungwishi.

74   Joseph Kumwimba Kasongo Mukishi, "Historique des Pionniers et l'Expansion de l'Eglise Méthodiste au Nord Katanga, » Juillet 2018 ; document lu à la célébration de

cinquante ans de la Conférence annuelle de l'église méthodiste unie au Nord Katanga à Kamina.

75 David Kumwimba Ilunga, "Outline History of the United
Methodist Church in the North Shaba, 1917–1970"
(Unpublished speech translated from Swahili by Omar Lee
Hartzler), 1.

76 Ilunga, "Outline History," 1.

77 Ilunga, "Outline History," 1.

78 Le père de cet auteur, le révérend André Ngoy Nyengele, était
commissionné par le révérend Mundele pour commencer
une église à Kitenge en 1966 dans le territoire de Kabongo.
Le révérend Mundele et Papa André Nyengele revenaient de
la conférence de circuit à Kabulo Kisanga quand le révérend
Mundele, avant de continuer son voyage à Kabongo-Lubyaie,
pria pour lui et le bénit à Kabango, à 14 km de Kitenge, pour
qu'il aille commencer une église à Kitenge. Une année plus
tard, les révérend Mundele et David Ilunga enverrons Papa
Nyengele étudier à l'Ecole Pastorale de Likasi. Il aura aussi
une charge pastorale dans l'Eglise méthodiste du Quartier
Astride/Nkolomoni pendant toutes ses années d'études
théologiques. Il terminera en 1970 et sera désigné comme
pasteur à Kinkondja.

79 Ilunga, "Outline History," 2.

80 Ngindu Mushete, «Authenticity and Christianity in Zaire, »

in *Christianity in Independent Africa*, ed. Edward Fashole-Luke, Richard Gray, Adrian Hastings, and Godwin Tasie (Bloomington and London: Indiana University Press, 1978); Isidore Ndaywel è Nziem, *Nouvelle histoire du Congo : Des origines à la république démocratique du Congo* (Bruxelles, Belgique ; Kinshasa, Congo, 2009), 527–538.

81 Omar L. Hartzler Omar L. Hartzler est né au Congo. Il était présent avec ses parents dans les premières missions à Kabongo et Kanene de 1918 à 1933, avant d'aller aux États-Unis pour ses études supérieures.

82 Omar L. Hartzler, Letter to Bishop Newell S. Booth, le 11 juillet 1963; avec copies à Joel Bulaya et David Ilunga.

83 Il semble que le travail à Kamina était établipar l'initiative du district du Nord Katanga après 1962. Un groupe de chrétiens presbytériens du Kasaï venus pour travailler à la gare de Kamina avait essayé d'établir une église méthodiste à Kamina en 1958. Ils s'étaient rattachés à l'église CEM mais les avaient trouvés trop restrictifs et fondamentalistes dans leur enseignement. Le groupe envoya une délégation à Elisabethville (Lubumbashi) pour demander qu'une église méthodiste soit ouverte à Kamina, mais l'évêque Booth refusa leur demande parce que Kamina était un territoire laissé à la CEM aux arrangements faits avec le Conseil protestant du Congo (CPC), comme nous l'avons discuté ailleurs dans ce livre.

84 Rev. Douglas Moore, Rev. Richard Kendall, Rev. George Thomas, and Rev. Everett Woodcock avaient visité Kalemie.

85 Omar L. Hartzler, "Memorandum on the North Katanga Annual Conference of The United Methodist Church," (1970), 3.

86 Lui et sa femme Eva Coates Hartzler avaient passé seize mois en 1986-87 à Kamina pour aider à établir l'*Institut Supérieur Pédagogique de Kamina*.

87 Omar L. Hartzler, "The Founding of the Institut Supérieur Pédagogique Méthodiste-Uni du Nord Shaba," July 20, 1987, 4. Initialement l'ISP Kamina était préparé pour offrir le *Graduat* en Pédagogie Appliquée, l'équivalent du *Bachelor of Science* (B.S) en Education dans le système anglo-américain. Plus tard, il commencera à offrir aussi la *License* en Pédagogie Appliquée, ce qui est l'équivalent de *Master* ou *Maitrise* en Education dans le système anglo-américain. Il faut noter en passant qu'il y a grand besoin de changer le système universitaire congolais et la nomenclature des titres académiques pour les rendre *explicitement* plus compétitifs avec le système anglo-américain qui est devenu plus dominant au niveau mondial. Il sera bon pour le Congo d'abandonner le terme « graduat » pour décrire le diplôme obtenu après le premier cycle d'études supérieures et universitaires au Congo. S'inspirant du système LMD (Licence, Master, Doctorat) adopté dans les universités européennes,

la France inclue, le *Graduat* congolais doit devenir la *License* ; et la *License* congolaise doit devenir le *Master* ou la *Maitrise*. Bien sûr il faudra harmoniser le nombre des cours exigés avec le nombre d'heures, etc. tout en gardant le même nombre d'années : c'est-à-dire 3 ans du premier cycle doivent aboutir à la License ; et deux ans du deuxième cycle doivent aboutir au Master. Le point que nous voulons faire ici c'est de dire que le *graduat* congolais est en fait équivalent à la *License* Française et au *Bachelor* américain; et la *License* congolaise est équivalente au *Master* Français et américain. Toutefois, il y a des universités américaines ou européennes qui cherchent toujours à rabattre le niveau académique des diplômes congolais. Mais d'innombrables étudiants congolais ont démontré, par leur performance académique excellente dans les universités américaines par exemple, qu'il y a d'équivalence entre les diplômes congolais et les diplômes anglo-américains tels que décrits ci-dessus. Certains professeurs expatriés américains qui ont enseigné dans les universités congolaises ont toujours insisté sur l'équivalence entre le Graduat congolais et le B.S. ou B.A. américain, et la License congolaise avec le Master américain. Mais dans quelques cas ce sont les congolais qui ont le *Bachelor* et *Master* américains qui cherchent à les élever au-dessus du Graduat et de la License congolais.

88   Ilunga, "Outline History," 2.

89   Hartzler, "Memorandum," 1.

90   Ilunga, "Outline History," 2.

91   Ilunga, "Outline History," 3.

92   Ce point a également été réitéré par le père de l'auteur, le Révérend André Ngoy Nyengele, retraité, qui venait de terminer son séminaire en 1970 et qui était prêt à poursuivre son ministère pastoral dans la nouvelle conférence du Nord Katanga. Bien sûr, les noms de Joël Bulaya, André Mundele, Albert Mukumbi, Kalonda Loshita, etc. doivent toujours être considérés aux côtés de celui de David Ilunga en termes de leur importance et de leur impact sur la Conférence du Nord-Katanga. André Nyengele, Communication personnelle, 2018.

93   Dr. Kasongo-Lenge Kansempe, Correspondance avec l'auteur, 2019.

94   La Conférence Annuelle du Nord-Katanga avait une grande fierté et satisfaction d'avoir envoyé des missionnaires congolais dans d'autres pays. Voir, par exemple, le *Journal Officiel de la Conférence Annuelle de l'Eglise Méthodiste-Unie au Nord Shaba, 22eme Session Tenue à Nyembo Umpungu du 7 au 12 Juillet 1992*, 84.

95   Mutwale, Correspondance avec l'auteur, 2018.

96   Mutwale, Correspondance avec l'auteur, 2018.

97   Mutwale, Correspondance avec l'auteur, 2018.

98   Gail V. Coulson, "The United Methodist Church in Tanzania: An African Mission for an African Church," *New World Outlook* (March/Aril 2012), 40-42.

99   Yirigoyen, Jr., *T&T Clark Companion to Methodism*, 438; see also Michel Kasongo, *History of the Methodist Church in the Central Congo* (Lanham, Maryland: University Press of America, 1998), 6–7.

100   Kasongo, *History of the Methodist Church*, 7.

101   Kasongo, *History of the Methodist Church*, 7.

102   Sylvia Jacobs, *Black Americans and the Missionary Movement in Africa* (Westport, Connecticut: Greenwood Press, 1982), xi.

103   Kasongo, *History of the Methodist Church*, 7.

104   Robert Benedeto, ed. *Presbyterian Reformers in Central Africa: A Documentary Account of the American Presbyterian Mission and the Human Rights Struggle in the Congo, 1890–1918* (Leiden: Brill, 2016), 56–91.

105   Coates Hartzler, "The Methodist Church," 126.

106   Coates Hartzler, "The Methodist Church," 126; voir aussi Kasongo, *History of the Methodist Church*, 11–12.

107   Coates Hartzler, "The Methodist Church," 127.

108   Mais Coates Hartzler indique que c'était en 1921 ; voir "The Methodist Church," 129.

NOTES

109 Coates Hartzler a l'année 1935 pour la création de la station de Kandolo.

110 Selon Coates Hartzler c'est en 1933 que deux évangélistes congolais et Moise Ngandjolo ont fait l'évangélisation à Lomela; alors le travail a commencé ici un peu plus tôt ; mais c'est en 1958 que Burleigh et Virgnia Law ont été désignés comme missionnaires à Lomela. Coates Hartzler, « The Methodist Church, » 131.

111 Coates Hartzler, « The Methodist Church, » 127.

112 Pour plus d'information sur l'impact des missions méthodistes au Congo Central, voir Paul-Amy Djundu Lunge, "Analyse Socio-Culturelle et Spirituelle de l'Oeuvre Missionnaire de l'Eglise Méthodiste-Unie Parmi les Tetela du Zaire Central," Thèse de doctorat, Université Laval, Canada, 1991.

113 Coates Hartzler, "The Methodist Church," 131. Voir aussi Kasongo, *History of the Methodist Church*, 62–64, pour une évaluation un plus critique du travail de Moïse Ngandjolo.

114 Kasongo, *History of the Methodist Church in the Central Congo*, 66.

115 Kasongo, History of the Methodist Church in the Central Congo," 68.

116 Alexander J. Reid, *Congo Drumbeat: History of the First Half Century in the Establishment of the Methodist Among the*

Atetela of Central Congo (New York: Wordl Outlook Press, 1964), 107.

117 Bill Lovell, *100ᵗʰ Anniversary of the United Methodist Church in Central Congo, 1912–2014: A Pictorial Resource* at https://www.scribd.com/doc/155215510/100th-Anniversary-of-the-Methodist-Church-in-Central-Congo-1912-present; accessed on February 15, 2018.

118 Gabriel Yemba Unda, "The United Methodist Mission in Eastern Congo," 6–9.

119 Gabriel Yemba Unda, "The United Methodist Mission in Eastern Congo," New World Outlook, November/December 2014, 9.

120 Voir http://www.congowomenarise.org/en/home.

121 *Le Livre de Discipline de l'Eglise Méthodiste-Unie : Edition de la Conférence Centrale de l'Afrique*, p.x.

122 Mais il faudra noter que la conférence centrale de l'Afrique avait tenu la première élection épiscopale en 1956 pendant laquelle Ralph Edward Dodge, un missionnaire américain, fut élu évêque pour le Zimbabwe.

123 Pour plus d'information sur le travail sur William Taylor au Liberia, Congo, Angola et Mozambique, voir Wade Crawford Barclay, *History of Methodist Missions Part Two : The Methodist Episcopal Church 1845-1939* (New York : The Board of Missions of The Methodist Church, 1957), 894–931.

124 Coates Hartzler, "The Methodist Church in the Congo," 128.

125 Coates Hartzler, "The Methodist Church in the Congo," 128.

126 Bruce Fetter, *The Creation of Elisabethville 1910-1940* (Stanford, CA: Hoover Institution Press, 1976), pp.104-106.

127 Kasongo, *History of the Methodist Church in the Central Congo*, p.103.

128 Newell S. Booth, "The Episcopal Address to the Africa Central Conference," in *Official Journal of the Africa Central Conference of the Methodist Church Held at Katako Kombe, Belgian Congo, October 1-9, 1952* (The Board of Publications of the Africa Central Conference, 1952), 3–13.

129 Reid, *Congo Drumbeat*, 130–131.

130 Kasongo, *History of the Methodist Church in the Central Congo*, 102–103.

131 L'évêque Ralph Dodge qui avait remplacé l'évêque Booth en Rhodésie du Sud est aussi franc dans ses analyses des effets du racisme et de la colonisation en Afrique. Dodge a franchement relevé le racisme dans l'Eglise, et particulièrement parmi certains missionnaires, en démontrant combien certains missionnaires maintenaient des points de vues racistes qui contribuaient à l'exclusion et à la souffrance des africains sous la colonisation. Dodge raconte une histoire de sa visite dans une école méthodiste au Congo dans les années 1950. Quand il est arrivé à cette

école a Elisabethville (Lubumbashi), le directeur, un protestant belge, l'a fait visiter l'école. Dodge était curieux de savoir les aspirations des élèves et c'est ainsi qu'il a essayé d'établir un contact avec les élèves de la classe supérieure en leur demandant ce qu'ils avaient l'intention de faire lorsqu'ils vont terminer l'enseignement qui leur était offert dans cette école particulière. Certains ont indiqué qu'ils seraient des maçons; d'autres, charpentiers; quelques-uns, des commis et des enseignants. L'un d'entre eux a «fait tomber la maison» en suggérant qu'il voulait être pilote d'avion. Voyant l'audace de ce départ de la norme établie, un autre garçon a levé la main et a dit qu'il voulait être médecin. Le directeur européen l'a immédiatement réprimandé pour son ambition : «Il veut dire qu'il a l'intention d'être infirmier. Au Congo, nous n'avons pas de médecins autochtones.» Dodge poursuit en disant qu'à l'époque, le gouvernement belge n'avait pas la gentillesse de permettre les africains entrer dans des professions nécessitant une formation en dehors du Congo. C'est pourquoi les religieux de toutes les nationalités se sont généralement accommodés au point de vue colonial officiel. Voir Ralph Dodge, *The Unpopular Missionary* (Westwood: Fleming H. Revell Company, 1964), 20.

132 Newell S. Booth, *The Cross Over Africa* (New York: Friendship Press, 1945)

133 Booth, *The Cross Over Africa*, 77–78.

134 Nyengele, "Healing Postcolonial Trauma in the African Experience: The Case of DR Congo," pp.79, 90.

135 Dans ce même ordre d'idée Mgr. Fridolin Ambongo, archevêque de Kinshasa, a récemment réfléchi sur la situation sociale, économique, et politique au Congo en posant cette question pertinente: Est-ce excessif d'affirmer que le Congolais est en exil sur sa propre terre ? Ambongo cite les humiliations, les manques de nécessaire vital ; il dénonce le mépris de la dignité de la personne humaine et de ses droits les plus fondamentaux. Voir Mgr. Fridolin Ambongo, « Est-ce Excessif d'affirmer que le Congolais Est en Exil sur sa Propre Terre ? » sur https://actualite.cd/2018/12/24/est-ce-excessif-daffirmer-que-le-peuple-congolais-est-en-exil-sur-sa-propre-terre-mgr; consulté le 21 Mars 2019.

136 Kasongo, *History of the Methodist Church*, 91.

137 Edouard Ndua, "De la Mission à l'Eglise Méthodiste-Unie," in *L'Eglise Méthodiste-Unie au Katanga à 100 Ans*, 84.

138 Il y a un nombre croissant des femmes ordonnées pasteurs et les efforts continuent à combattre le sexisme et la marginalisation des femmes dans la vie de l'église; mais

d'importants progrès ont été réalisés dans l'inclusion des femmes dans les rôles de leadership aux niveaux différents.

139 Peut-être le Congo élira-t-il bientôt une évêque femme, étant donné qu'il y a maintenant une présence significative de femmes pasteures congolaises qui servent dans plusieurs positions de leadership dans l'église et la société.

140 Heather Hahn, "Group Advises Where to Add 5 New African Bishops" sur https://www.umnews.org/en/news/group-advises-where-to-add-5-new-african-bishops; Consulté en Juillet 2019.

141 Newell S. Booth, *The Cross Over Africa* (New York: Friendship Press, 1945), 124–140.

142 For an example of collaborative work, see Munayi Muntu-Monji, *Les Vingt-Cinq Ans de la Faculté de Théologie Protestante au Zaire 1959–1984* (Kinshasa: Faculté de Théologie Protestante, 1984).

143 John Wesley Kurewa, *The Church in Mission: A Short History of The United Methodist Church in Zimbabwe, 1897–1997* (Nashville: Abingdon Press, 1997), 9, 38–39.

144 Mudimbe, V.Y., *The Invention of Africa: Gnosis, Philosophy, and the Order of Knowledge* (Indianapolis: Indiana University Press, 1988), surtout les chapitres 1–3.

145 Kurewa, *The Church in Mission*, 15.

146 Pour plus de details sur la violence coloniale et les effets

traumatisant des injustices historiques connexes sur le peuple congolais, voir M. Fulgence Nyengele, "Healing Postcolonial Trauma in the African Experience: The Case of DR Congo," in *Pastoral Care, Health, Healing, and Wholeness in African Contexts*, eds. Tapiwa Mucherera and Emmanuel Lartey (Eugene, OR: Wipf & Stock, 2017), 76-98.

147 Nyengele, "Healing Postcolonial Trauma," 90.

148 Pour une documentation brève de cette histoire de violence et ses effets, voir M. Fulgence Nyengele, « Cultivating Ubuntu : An African Postcolonial Pastoral Theological Engagement with Positive Psychology. » *Journal of Pastoral Theology*, Volume 24, No.2, 2014, surtout pp.4.12-4.13.

149 Jean-Marc Ela, *Repenser la théologie africaine : Le Dieu qui libère* (Paris : Karthala, 2003).

150 M. Fulgence Nyengele, *"Ubuntu*, Wesleyan Social Holiness, and the Quest for Human Dignity in Contexts of Political Violence," Papier présenté à la Conférence du bicentenaire célébrant 200 ans de mission du Conseil de ministères globaux de l'Eglise méthodiste unie, Atlanta, Georgia, Avril 2019.

151 Hyun Seok (Joseph) Kim, "Toward a New Paradigm of Holiness Theology of Mission in Korea: Cosmic Holiness in Divine Ecology," in *The Global Impact of the Wesleyan Traditions and Their Related Movements*, ed. Charles Yrigoyen, Jr. (Lanham, Maryland, and London: The Scarecrow Press, 2002), 180-81.

152   Voir, par example, Theodore Runyon, *The New Creation: John Wesley's Theology Today* (Nashville: Abingdon Press, 1998); Randy Maddox, « Reclaiming Holistic Salvation: A Continuing Wesleyan Agenda, » in *Holy Imagination: Thinking about Social Holiness*, ed. Nathan Crawford, Jonathan Dodrill, and David Wilson (Lexington, KY: Emeth Press, 2015), 41–54.

153   Le Cantique Méthodiste/Wimbo Méthodiste, "Ee Baba wa Mbingu," Numéro 423, *Nyimbo Takatifu: Eglise Methodiste-Unie au Sud-Zaïre [Congo]*, Lubumbashi, 1996.

CPSIA information can be obtained
at www.ICGtesting.com
Printed in the USA
BVHW030935060120
568691BV00001B/187/P